ÉTICA E VERGONHA NA CARA!

PAPIRUS ◆ DEBATES

A coleção Papirus Debates foi criada em 2003 com o objetivo de trazer a você, leitor, os temas que pautam as discussões de nosso tempo, tanto na esfera individual como na coletiva. Por meio de diálogos propostos, registrados e depois convertidos em texto por nossa equipe, os livros desta coleção apresentam o ponto de vista e as reflexões dos principais pensadores da atualidade no Brasil, em leitura agradável e provocadora.

MARIO SERGIO CORTELLA
CLÓVIS DE BARROS FILHO

ÉTICA E VERGONHA NA CARA!

PAPIRUS 7 MARES

Capa	Fernando Cornacchia
Coordenação	Ana Carolina Freitas
Transcrição	Nestor Tsu
Edição	Ana Carolina Freitas e Aurea Guedes de Tullio Vasconcelos
Diagramação	DPG Editora
Revisão	Isabel Petronilha Costa

Dados Internacionais de Catalogação na Publicação (CIP)
(Câmara Brasileira do Livro, SP, Brasil)

Cortella, Mario Sergio
   Ética e vergonha na cara!/Mario Sergio Cortella, Clóvis de Barros Filho. – Campinas, SP: Papirus 7 Mares, 2014. – (Coleção Papirus Debates)

ISBN 978-85-61773-48-9

1. Corrupção 2. Diálogo 3. Educação moral 4. Ética 5. Ética política 6. Família 7. Valores (Ética) I. Barros Filho, Clóvis de. II. Título. III. Série.

14-00436   CDD-170

Índice para catálogo sistemático:

1. Ética: Filosofia: Tertúlia   170

1ª Edição – 2014
32ª Reimpressão – 2023

Exceto no caso de citações, a grafia deste livro está atualizada segundo o Acordo Ortográfico da Língua Portuguesa adotado no Brasil a partir de 2009.	Proibida a reprodução total ou parcial da obra de acordo com a lei 9.610/98. Editora afiliada à Associação Brasileira dos Direitos Reprográficos (ABDR). DIREITOS RESERVADOS PARA A LÍNGUA PORTUGUESA: © M.R. Cornacchia Editora Ltda. – Papirus 7 Mares R. Barata Ribeiro, 79, sala 316 – CEP 13023-030 – Vila Itapura Fone: (19) 3790-1300 – Campinas – São Paulo – Brasil E-mail: editora@papirus.com.br – www.papirus.com.br

De tanto ver triunfar as nulidades, de tanto ver prosperar a desonra, de tanto ver crescer a injustiça, de tanto ver agigantarem-se os poderes nas mãos dos maus, o homem chega a desanimar da virtude, a rir-se da honra, a ter vergonha de ser honesto.

Rui Barbosa

SUMÁRIO

A ética da conveniência 9

A ilusão moral do foco no resultado 17

Qual é o resultado que torna justo o caminho? 26

Ética como instrução 37

Não há vida sem escolha, e não
há escolha sem valor 45

Corrupção: Consequência do sistema? 63

Uma questão de escolha 71

A corrupção e o sistema político 78

A corrupção e a família 84

É vergonhoso não ser querido 95
Glossário 103

N.B. Na edição do texto foram incluídas notas explicativas no rodapé das páginas. Além disso, as palavras em **negrito** integram um **glossário** ao final do livro, com dados complementares sobre as pessoas citadas.

A ética da conveniência

Mario Sergio Cortella – É impossível, numa conversa que envolve o tema da corrupção, deixar de atrelar a ele a questão do relativismo moral, da ética da conveniência – "se é bom para mim, tudo bem". Gostaria de iniciar este nosso bate-papo lembrando um fato que ocorreu no final de 2012, em Navarra, Espanha, e que tomou proporções consideráveis ao ser divulgado.

Em uma corrida de *cross-country*, o queniano Abel Mutai, medalha de ouro nos três mil metros com obstáculos em Londres, estava a pouca distância da linha de chegada e, confuso com a sinalização, parou para posar para fotos pensando que já havia cumprido a prova. Logo atrás vinha outro corredor, o espanhol Iván Fernández Anaya. E o que fez ele? Começou a gritar para que o queniano ficasse atento, mas este não entendia que não havia ainda cruzado a linha de chegada. O espanhol, então, o empurrou em direção à vitória.

Bom, afora o ato incrível de *fair play*, há uma coisa maravilhosa que aconteceu depois. Com a imprensa inteira ali presente, um jornalista, aproximando o microfone do corredor espanhol, perguntou: "Por que o senhor fez isso?". O espanhol replicou: "Isso o quê?". Ele não havia entendido a pergunta – e o meu sonho é que um dia possamos ter um tipo de vida comunitária em que a pergunta feita pelo jornalista não seja mesmo entendida –, pois não pensou que houvesse outra coisa a ser feita que não aquilo que ele fez. O jornalista insistiu: "Mas por que o senhor fez isso? Por que o senhor deixou o queniano ganhar?". "Eu não o deixei ganhar. Ele ia ganhar". O jornalista continuou: "Mas o senhor podia ter ganho! Estava na regra, ele não notou...". "Mas qual seria o mérito da minha vitória, qual seria a honra do meu título se eu deixasse que ele perdesse?". E continuou, então, dizendo a coisa mais bonita que eu li envolvendo a questão da ética do cotidiano: "Se eu ganhasse desse jeito, o que ia falar para a minha mãe?".

Como mãe é matriz de vida, fonte de vida, ela é a última pessoa que se quer envergonhar. Porque ética tem a ver com vergonha na cara, com decência, e, repito, a última pessoa que se quer envergonhar é a mãe. É curioso, mas até bandido pode ser prova disso. Por exemplo, já houve situações de assalto a banco com reféns em que o sujeito, mesmo com a polícia toda em volta fazendo o cerco, não se rende. Aí a polícia chama a mãe dele. Ela chega, com a bolsinha no braço, e diz: "Sai daí, menino!". E ele sai.

É por isso que considero essa ideia da matriz do desavergonhar uma coisa extremamente inspiradora para que jamais venhamos a adotar isso a que me referi como ética da conveniência. Você percebe isso, Clóvis?

Clóvis de Barros Filho – O tempo inteiro. A lógica do resultado, da meta e do sucesso acaba se impondo de tal forma que os procedimentos e a maneira de atingir um objetivo acabam sendo sucateados e colocados como uma questão menor. Isso que você falou, Cortella, a respeito da mãe me faz lembrar d'*O banquete*, de **Platão**. No primeiro discurso, Fedro diz que, se existisse uma cidade de amantes, ela seria perfeita e indestrutível, porque não há nada mais vergonhoso do que uma pessoa fugir ou praticar uma atitude indigna diante de alguém que ela ama. Então, se houvesse mais afetos e mais preocupação, digamos, em não desonrar pessoas que nos querem bem, provavelmente teríamos relações melhores e uma sociedade melhor.

A ética tem de ser tratada por um prisma de paixões, de emoções e de sensações. Tenho a nítida impressão de que, toda vez que estamos diante de dilemas existenciais, é muito importante observarmos o duelo entre *esperança* e *temor*. Quer dizer, muitas vezes, temos a esperança de auferir bons resultados e até de minimizar custos e esforços com isso. Então, de um lado, a esperança é um ganho de potência a partir de uma situação imaginada que é vantajosa, prazerosa, que é boa, enfim. De outro lado, temos o temor, que é justamente o contrário, ou seja, o indivíduo se apequena diante de uma situação imaginada, diante de uma consequência nefasta que possa lhe acontecer. Muitas das atitudes indignas e desonrosas que observamos acabam sendo a vitória da esperança sobre o temor.

Tratando diretamente da temática da corrupção, temos o indivíduo que se vê diante da possibilidade de um fantástico enriquecimento mediante um esforço mínimo. É claro que existe ali a possibilidade de ganho; ele imagina, num primeiro momento, todos os efeitos encantadores desse ganho, o que é uma esperança – esperança, repito, é um ganho de potência de vida determinado por uma situação imaginada, um conteúdo de consciência. Mas, em seguida, ele vislumbra também a possibilidade de ser pego, de cair em desgraça, de se ver em situação muito ruim. E aí se estabelece um duelo de afetos, como se fosse uma soma de vetores: de um lado a esperança de se dar bem e de outro o medo de se dar mal.

Acredito que é aqui que a questão das instituições e da sociedade se impõe. Porque, se temos uma sociedade esgarçada, incapaz de produzir temor sobre aqueles que pretendem auferir vantagens de situações ilegais, indecorosas ou eticamente condenáveis, acabamos, de certa maneira, estimulando um comportamento que não queremos.

Cortella – Você está empregando o termo *esperança* como força vital, aquilo que impulsiona, aquilo que inspira. Curiosamente, do ponto de vista etimológico, "esperança", *spes*, significa o "sopro", de onde vem também "espirro". A origem de ambos os termos é a mesma. Portanto, aquilo que impulsiona, que inspira... inclusive para o equivocado. E uma ideia de que gosto muito e que você usou é a da pessoa que, tendo o temor, se apequena.

Os latinos usavam a expressão *covarde*, que acho muito forte, para caracterizar o indivíduo que não é vitorioso e que, em vez de se engrandecer, se apequena, se acovarda diante de uma situação. Os romanos o chamariam de *pusilânime* – a pusilanimidade sendo um defeito de caráter.

Em grande medida, quando pensamos em apodrecimento ético, isso nada mais é do que uma forma de pusilanimidade – e, usando o seu raciocínio, pusilânime seria aquele em quem a esperança venceu o temor, invertendo até o que seria o óbvio... e que não é tão óbvio, por isso gostei do modo como você colocou. Mais até do que esperança, eu chamaria de *expectativa*. Portanto, não se trata da esperança como virtude, mas da esperança como uma expectativa de impunidade e de sucesso que ultrapasse o risco do temor, isto é, uma expectativa de que o delito compense a eventual situação da penalidade – recorrendo ao *Dos delitos e das penas*, de **Beccaria**, século XVIII.

É curioso, porque isso marca um pouco a nossa conduta em várias situações do dia a dia. Na sua percepção, Clóvis, quando você diz que a ética é uma emoção, que é um impulso, supõe que isso seja algo atávico, tal como considera **Freud**?

Clóvis – Sim, estou absolutamente convencido de que a nossa essência é, de fato, uma potência vital.

Cortella – Um gene egoísta, para brincar com o título de um livro do ateu **Richard Dawkins**.*

Clóvis – Isso. De certa maneira, essa potência oscila. Por exemplo, quando acordo de manhã, muitas vezes estou indisposto e sem nenhum tesão para a vida. Eu, que moro em São Paulo, saio de casa às seis e meia da manhã, um horário sem trânsito, e gosto das coisas que vou encontrando no caminho. Gosto do meu bairro. Durante todo o meu trajeto em direção à Cidade Universitária, onde dou aulas, observo tudo o que me rodeia, tudo o que vai acontecendo, e sinto que melhora o meu estado vital, a minha energia vital. Já na Cidade Universitária, com seus grandes espaços, com suas grandes áreas, encontro-me com os alunos e começo a aula. Por volta das dez horas da manhã, estou em cima da mesa, gritando, cheio de entusiasmo (eu gosto muito do que falo, e isso não é arrogância, mas condição de bem viver. O que posso fazer se me encanto com as coisas que falo?!).

---

* *O gene egoísta*. São Paulo: Companhia das Letras, 2007. (N.E.)

O que aconteceu entre cinco e dez da manhã? Houve um evidente ganho de potência de agir. É o que **Espinosa** chama de *alegria*, passagem para um estado mais potente do próprio ser. E o mundo que encontrei foi um mundo alegrador. Determinou em mim um ganho de potência de agir. É claro que as coisas nem sempre continuam dessa maneira. Pode vir uma secretária enlouquecida me dizer que eu grito muito, que estou atrapalhando os outros professores, e a minha potência de agir despenca. A isso chamamos de *tristeza*. Assim vou prosseguindo, e o mundo ora me alegra, ora me entristece, dependendo de como ele faz oscilar essa minha potência de agir.

Mas, no caso específico da corrupção, existem os dois outros afetos a que me referi – porque, afinal, afeto é essa passagem, essa oscilação, é a interpretação que nosso corpo dá para aquilo que o mundo impõe a ele, para aquilo que acontece com ele –, a esperança e o temor.

Como Espinosa define esperança? É justamente um tipo particular de alegria. Não é uma alegria determinada por aquilo que encontramos no mundo, mas uma alegria determinada pelo que imaginamos dele. Espinosa chama essa esperança de *paixão triste*. E por quê? Porque, quando nos perdemos entre a esperança e o temor, que é a perda da potência determinada por um conteúdo de consciência, estamos perdendo a oportunidade de nos reconciliarmos com o real e de nos deixarmos alegrar ou entristecer. Então, de certa maneira, esse é o grande problema do indivíduo que não espera o mundo chegar com sua carga de alegria ou de tristeza e acaba, de um modo ou de outro, antecipando e vivendo aquilo que Espinosa chama de *flutuação da alma*.

A ilusão moral do foco no resultado

Clóvis – Por que as emoções são tão importantes sempre que vamos tomar uma decisão? Por que não podemos, de forma alguma, deixar de considerá-las quando analisamos as nossas decisões morais? Pois, você sabe, Cortella, por mais que as emoções não sejam determinantes, elas estão diretamente relacionadas ao que acontece na hora de tomar uma decisão.

Veja, por exemplo, o caso da cola em sala de aula. Temos uma situação clara em que o aluno não estudou – esforço necessário para uma boa *performance* na prova –, mas ele pode obter uma nota positiva desde que use um estratagema entendido por todos como inaceitável.

Cortella – Mas essa solução não oferece alegria, apenas resultado. Oferece o nível de eficácia que é, para o referido aluno, o melhor no caminho mais curto, mas não é o melhor do ponto de vista de uma consciência deliberada. Volto ao Espinosa, à sua *Ética da alegria*: não há uma ética da alegria nessa situação, porque ela não resulta daquilo que encanta, mas daquilo que envergonha se o aluno for capturado. O nome *cola* já evidencia que não é obra da própria pessoa, não é seu impulso que a realiza, nem seu esforço.

Clóvis – Sua intervenção é perfeita, porque falamos de uma perspectiva espinosana de geometria dos afetos que nada tem a ver com resultados. E por quê? Porque toda vez que uma pessoa é constrangida a agir exclusivamente em função de certos resultados, ela se prende a uma ética dita consequencialista. E esse termo é interessante porque a palavra *consequência* ajuda a entender muita coisa. Qual é, então, a proposta? O valor moral da minha conduta está atrelado ao que ela acarretar no mundo. Se ela produzir bons efeitos – ética da eficácia –, foi boa; se, entretanto, produzir maus efeitos, foi ruim.

Quando visitamos empresas, geralmente nos deparamos com o *banner* de valores. E, em alguns, podemos ler: HONESTIDADE, CRIATIVIDADE, TRANSPARÊNCIA; em seguida, o invariável: FOCO NO RESULTADO. Um fato interessante é que a palavra *foco* inevitavelmente vem acompanhada da palavra *resultado*, como se fosse uma obviedade. Não sei também se você, Cortella, já refletiu sobre a bobagem que é fazer uma lista em que um dos itens tem a palavra *foco*. Porque nesse caso ficam anulados os outros itens. Se o oftalmologista diz: "Foque a terceira letra", todas as outras letras perdem o foco.

Cortella – Na escola é o plano pedagógico que costuma ficar em evidência para que todos possam vê-lo.

Clóvis – Toda vez que o foco está em alguma coisa, fica descaracterizada a ideia de complexidade, diversidade, pluralidade.

O que quero dizer com isso? Se houver um conflito entre honestidade e resultado – conflito mais do que provável, porque é possível, para fazer uma venda a qualquer preço, mentir sobre o produto ou sobre o serviço prestado –, então, a resposta está no *banner*: o foco é no resultado. Se houver conflito com qualquer outro valor, o foco está no resultado. E isso significa o quê? Fazer o que for preciso para obter resultado, mesmo que isso implique mentir, enganar, ludibriar e assim por diante.

Cortella – Existe um lema que algumas empresas adotaram e que acabou permeando, impregnando todo o conjunto social: "Fazemos qualquer negócio". Essa lógica significa que qualquer negócio é válido. Gostaria de que pudéssemos conversar um pouco sobre o significado de *valor*, inclusive para falar de *validade*. Costumo dizer – e isso se aplica também à escola – que nem todo sucesso é decente, nem toda vitória é honrosa ou, no campo da empresa, nem todo lucro é higiênico. Desse ponto de vista, há coisas que sujam o tipo de sucesso que se obteve.

Na minha experiência como aluno que fui do ensino fundamental (na minha época denominado primário e ginásio, depois alterado para primeiro grau), eu tinha muito mais alegria ética, ou seja, o sentimento de manter a honra, por tirar 5,0 em português sem colar do que os 9,5 em história por ter conseguido acessar a página de cópia do antigo mimeógrafo à tinta esquecido na secretaria onde a professora havia imprimido as provas. Havia muito mais alegria em obter 5,5 numa prova de matemática para a qual eu havia estudado no dia anterior – nota, portanto, advinda de esforço –, do que obter 7,0 ou 8,0 copiando de um colega. Evidentemente que, embora em ambas as situações os resultados fossem diferentes, o resultado da cola aparecia como aquilo que hoje se deseja, que é o dar certo a qualquer custo. Portanto, foco no resultado. Ao passo que o outro resultado é o da alegria ética de não se envergonhar, de poder contar abertamente como aquela nota foi alcançada...

Kant sugere algo especial. Ele diz que tudo o que não se puder contar como fez, não se deve fazer. Porque, se há razões para não poder contar, essas são as mesmas razões para não fazer. E não estou falando de sigilo, estou falando de vergonha. Pois existem coisas que não podem ser contadas porque pertencem ao terreno da privacidade, do sigilo. Mas há aquelas que não podemos contar porque nos envergonham, nos diminuem.

Em outras palavras, a cola acaba nos jogando exclusivamente no campo – que achei especial quando você lembrou, Clóvis – do foco no resultado, em que se foca uma coisa e se desfoca outra. Fazendo um bom trocadilho da área de filosofia, quando nosso foco está no resultado, não temos ilusão de ótica, mas sim de ética.

Clóvis – Sem dúvida. Retomando ainda a questão do foco no resultado, curiosamente, a própria instituição escolar patrocina esse tipo de lógica.

Cursei todo o ensino básico com os jesuítas no colégio São Luís. Lá, a professora que me levava pela mão até a sala de aula era a tia Maria das Graças que, mais tarde, tornou-se titular de Filosofia na USP e uma grande especialista em **Francis Bacon**. E o que eu ouvia no primário? Que o grande barato do primário era passar para o ginásio. Toda a preparação, então, era para sermos aprovados no exame de admissão – e eu fiz esse exame que, por sinal, foi extinto em seguida – e aí passaríamos para o ginásio.

Chegando ao ginásio, o professor-coordenador Adauto disse: "O colegial vai ser no outro prédio, no prédio novo. No colegial não há mais obrigatoriedade do uso do uniforme; é de gente grande, vale a pena". E passamos o ginásio esperando o colégio.

No colegial, o professor Mário Zan entrou na sala e falou: "Isto aqui é preparação para o vestibular, não tem conversa". Então cursamos o colegial com o objetivo de entrar na faculdade.

Quando chegamos à faculdade, poderíamos pensar: "Agora, a vida chegou. Finalmente eu serei feliz, agora haverá alegria". Ou seja, a vida vai valer por si mesma. Mas aí começamos a andar pelos corredores e o assunto era estágio disso, estágio daquilo... Se não fizéssemos estágio, não teríamos acesso ao mercado de trabalho. Batalhamos e finalmente conseguimos um estágio. E pensamos: "Agora haverá alegria". O problema é que foi logo explicado que, se não fôssemos efetivados, o estágio não teria valor.

Finalmente, conseguimos o diploma e a carteira de trabalho. E concluímos: "Bom, agora a vida chegou". Ou seja, nesse momento de *eudaimonia*, a vida será soberana, teremos um momento de alegria porque não estaremos pensando em alguma coisa que está por vir, mas poderemos desfrutar aquilo que está acontecendo – estaremos onde estamos, e estaremos bem onde estamos. Momento de alegria clássico. Reconciliação com o real. Amor *fati*, amor pelas coisas como elas são.

E vamos trabalhar numa empresa. Ela tem 15 níveis e começamos no G15 – não tem nem lugar para bicicleta no estacionamento! Enquanto não passarmos para o G14, somos insignificantes. Inicia-se, então, a escalada: subgerente, gerente, diretor não sei do quê... Até o momento em que percebemos que, para sermos promovidos, precisamos alcançar mais metas do que os outros. O foco está no resultado, e nós o trazemos. As metas são como cenouras: nós as perseguimos. E quando, pela primeira vez, alcançamos uma cenoura, temos a impressão de que nesse momento a vida finalmente chegou, vamos comemorar sete anos de vacas gordas. Entregamos a cenoura para o chefe, que liga o PowerPoint e estabelece nova meta, nova cenoura. E descobrimos que a lógica do Eros de Platão, a lógica do desejo na falta, do buscar o que não se tem, é uma lógica que nos acompanha desde o começo da vida escolar até o momento em que, depois de 30 anos, recebemos uma placa dizendo: "Você foi um excelente perseguidor de cenouras, mas hoje se tornou inadaptável. Vou contratar alguém mais jovem, mais iludido do que você para poder explorar o trabalho mais adequadamente".

Desde a escola até a vida no trabalho não somos preparados para a alegria. Um exemplo é o que recomenda boa parte dos profissionais de Recursos Humanos nas organizações: "sair da zona de conforto". Essas pessoas são verdadeiros profetas do entristecimento! Não se aceita um momento de alegria em hipótese alguma! Se no processo seletivo de uma empresa alguém disser: "Eu sou um cara de bem com a vida, estou bem comigo mesmo", ele será excluído, porque o que se quer é o indivíduo desconfortável, desejante e, portanto, alguém que sabe buscar o que ainda não existe.

Cortella – E de novo nos vemos diante da filosofia do "fazemos qualquer negócio". De alguma maneira ela reforça, seja no ambiente escolar, seja na família, a ênfase no resultado, essa ideia de uma pulsão que é de vitória, e vitória a qualquer custo.

Desse ponto de vista, acho que essa percepção platônica que você coloca da *eudaimonia* – a ideia do bom espírito, daquilo que anima, que insufla –, pode ter uma vitalidade que é benéfica de um lado, mas maléfica de outro. Ela pode ser benéfica ao indivíduo e maléfica ao coletivo, na medida em que ela implanta, se é uma vitalidade de exclusividade, algo que é o egoísmo no conjunto das relações. E o egoísmo é exatamente a suspensão da ética como possibilidade de escolha. É uma escolha prévia em que não se tem mais a possibilidade de uma ética saudável.

Acho curioso quanto o mundo das organizações incentiva essa percepção a tal ponto que, durante muito tempo, *missão* e *valores* eram as noções que imperavam, como você ressaltou, e ficavam bem à vista de todos, nos *banners* logo na entrada das empresas e instituições. Nas escolas destacava-se o projeto político-pedagógico, ou o que fosse de interesse para a família ver. E, em todos eles, um lema que deixaria **Aristóteles** horrorizado: "A finalidade de nosso trabalho é a melhoria da qualidade", como se qualidade, palavra neutra, fosse por si mesma um qualificativo. Como categoria aristotélica, ela significa apenas uma característica.

O que significa uma ética, portanto? Não é de uma ética qualquer que estamos tratando, mas de uma ética como um conjunto de valores e princípios que usamos para guiar nossa conduta. Não é de qualquer ética que estamos falando quando desejamos uma ética que pressuponha *saudabilidade*, isto é, uma ética que não seja provedora da alegria restrita, mas que caminhe na percepção da partilha da alegria. Acho que a alegria está muito marcada pela ideia de fartura.

Você, Clóvis, que estudou com jesuítas deve se lembrar que eles diziam que tínhamos que estar *a serviço*. Existir para servir, a ideia do *ad maiorem Dei gloriam*, "para a maior glória de Deus"... Exatamente a percepção de que a vida deve estar a serviço e a alegria tem que ser partilhada. Não é à toa que eles conservam até hoje o dom da fé e da alegria.

Qual é o resultado que torna justo o caminho?

Clóvis – Tenho a impressão de que estamos diante de um problema maior. Nós assistimos hoje a uma espécie de consagração da lógica do resultado, que tem uma legitimidade – o que **Bourdieu** chamaria de dominação simbólica, de um lado, e hegemonia, de outro –, ou seja, a legitimidade da evidência. Isso é extremamente negativo porque tira das pessoas a condição do questionamento. Quer dizer, o resultado como critério único do bem agir e do bem viver esbarra em problemas que precisam ser denunciados.

O primeiro problema óbvio é: se uma conduta vale em função do seu resultado, qual é o bom resultado que me autoriza a concluir que agi adequadamente? Quase sempre esse tipo de reflexão consequencialista impõe um bom resultado e, a partir daí, considera óbvia a conduta que me leva a ele – mas a discussão desse bom resultado quase nunca é feita. O lucro nas empresas – no caso de **Maquiavel**, a conservação ou o aumento do poder do soberano – e, quase sempre, o bom resultado são da esfera do óbvio, e a conduta será boa quando for meio para esse resultado óbvio. Então, existe na definição do bom resultado um golpe de violência simbólica que dificulta demais a reflexão sobre o que devemos entender pelo bom agir.

Um segundo problema é que uma conduta quase sempre é imputada como causa de um resultado, o que faz esquecer que os resultados costumam ser decorrentes de muitas causas. Para o bem e para o mal. Queria lembrar **Steve Jobs** que, em um momento de sua biografia, diz algo mais ou menos assim: "Curioso, porque jamais poderia imaginar que as coisas que eu estava fazendo levariam a esse resultado a que cheguei. Hoje as pessoas julgam o que eu fiz em função do ponto a que cheguei, mas não houve da minha parte uma estratégia deliberativa orquestrada para chegar aonde cheguei. Porque aonde cheguei decorreu de um milhão de causas que até eu ignoro – causas psicológicas das pessoas que contratei, causas macroeconômicas que eu não podia controlar. E hoje as pessoas querem fazer de mim um guru por ter arquitetado as coisas de maneira que chegasse a esse resultado. Mas não sou causa dos resultados que eu mesmo colhi". Isso é de uma lucidez extraordinária.

Cortella – Você certamente se lembra de **Adolfo Sánchez Vázquez**, autor de um ótimo livro intitulado *Ética*. Em outra obra de sua autoria, *Filosofia da práxis*, quase no final, há dois capítulos magníficos. O primeiro se chama "Os resultados inintencionais das práticas intencionais" e o segundo, "Os resultados intencionais das práticas inintencionais". Ou seja, a dupla lógica que você, Clóvis, tal como Steve Jobs, ressaltou.

Às vezes sou chamado para opinar sobre história das religiões... Constato que as pessoas costumam avaliar, por exemplo, o sucesso ocidental do cristianismo examinando sua trajetória a partir dos dias atuais para chegar aos primórdios em vez de fazer o caminho inverso: perceber que uma religião de pobres nos confins da Palestina, no cantinho do Império Romano, só ganhou fôlego em razão de outras circunstâncias, ou seja, pegou carona no Império Romano dentro de uma determinada estrutura, foi se expandindo e se disseminou com as Navegações. Aliás, os jesuítas vieram com ela. A cruz e a espada caminharam de braços dados. Se olharmos a partir de agora o resultado, vamos dizer: "Milagre, é uma coisa taumatúrgica". Claro que não!

Essa percepção do resultado automático me lembrou de algo... Achei muito bom o seu raciocínio em relação a essa imposição do resultado quase que dando santidade não àquilo que Maquiavel escreveu, mas àquilo que se entende que ele tenha escrito. Quer dizer, qual é o resultado que torna justo o caminho?

De uma perspectiva pragmática e utilitarista poderíamos afirmar que, se chegamos ao caminho que queríamos, o caminho foi justo, isto é, se a nossa meta era algo que fixamos e nós a atingimos, isso confere justeza ao caminho que percorremos. Na verdade acho que, do ponto de vista ético, é exatamente a justeza do lugar ao qual queremos chegar que fará com que utilizemos apenas meios justos para alcançá-lo. Porque até um lugar de bondade, a depender do caminho que se faça para alcançá-lo, perde essa bondade.

Isto é, se a intenção, por exemplo, é a felicidade do povo e para isso se implanta uma ditadura com o argumento de que primeiro deve crescer o bolo para depois partilhá-lo, isso não torna justo nem o caminho nem a meta. Se a intenção de um indivíduo, quando furta um objeto, é prover uma pessoa de algo que ela estava com muita vontade de ter, esse fato fará com que seu ato seja justo? Se furto um brinquedo que não posso comprar, mas que meu filho quer muito, a alegria da criança tornará justo o caminho? Não. Existem outras variáveis nesse circuito que não se justificam por si mesmas. Quer dizer, não há a possibilidade de a ética ser autojustificável. Você pensa assim, Clóvis?

Clóvis – Claro. E, a partir do que você falou, me ocorre um terceiro problema com relação à lógica do resultado. Para que isso fosse possível, ou seja, ter o resultado como critério único, como princípio único de atribuição de valor a uma conduta, seria preciso que houvesse a possibilidade de circunscrever condutas e resultados quase que de forma sistematicamente binária: tal conduta, tal resultado; nova conduta, novo resultado. Ora, isso não funciona assim.

Cortella – Mas é um fluxograma ético.

Clóvis – Não funciona assim por quê? Porque uma conduta gera resultado, que por sua vez gera resultado, que também gera resultado. E o décimo quinto resultado, ele é tão resultado da conduta quanto o primeiro. Por quê? Definição de causa: aquilo sem o que o efeito não aconteceria.

Dou um exemplo que considero fantástico: quando primeiro-ministro da Espanha, o senhor **José María Aznar** resolveu declarar guerra ao Iraque. Aliás, a declaração formal de guerra foi feita em Madri com o **Bush** e o **Blair**, um de cada lado. O senhor Aznar agiu bem? Vamos usar a lógica do resultado.

Por dois anos, ele teve um alto índice de aprovação dos espanhóis, ia se reeleger com facilidade. Durante esse período, recebeu aportes econômicos notáveis por causa dessa fidelidade política. A Espanha vivia um momento único na sua história. Aí, em 2004, ocorre o atentado a bomba na estação de Atocha, em Madri. O que temos? Um político liquidado. Ele não se elege mais nem para síndico de prédio!

Então, repito a pergunta: ele agiu bem? Do ponto de vista da lógica do resultado, por dois anos, até duas semanas antes da eleição, ele teria agido muito bem. Por causa de uma bomba, a sua conduta foi catastrófica. A questão é: até quando temos que esperar para saber se agimos bem ou não? Teoricamente, não poderemos saber nunca, porque as condutas geram efeitos indefinidamente e, portanto, daqui a dez anos, pode haver uma consequência que irá redimir toda aquela sucessão de resultados negativos que tivemos no começo da trajetória de efeitos.

Cortella – É por isso que o **Collor** usou a camiseta com os dizeres: "A história me absolverá".

Clóvis – Em outras palavras, tudo isso deixa claro aquilo que você muito bem falou, Cortella: enquanto não houver a possibilidade de discussão a respeito de para onde queremos ir, ou seja, a possibilidade de uma reflexão sobre os fins, estaremos condenados a julgar meios a partir de certa tirania – que é uma tirania de resultados que não escolhemos para nós.

Cortella – Precisamos ter princípios que impeçam essa tirania. Por isso, princípios como transparência, isonomia e liberdade de expressão apoiam uma salvaguarda contra qualquer tirania.

Clóvis – Vamos imaginar um indivíduo que começa a trabalhar numa empresa. Ele participou do processo seletivo e foi aprovado. A empresa, então, diz a ele: "Nós temos algumas metas, alguns resultados que esperamos alcançar" – e o que faz o jovem empregado? Ele aprende e anota quais são as cenouras que terá que perseguir. Em momento algum lhe é dada a possibilidade de opinar se aquelas metas são realmente as mais adequadas.

Não vamos ser hipócritas. A definição dos resultados é um gesto de poder que deixa bem claro o que importa. E o curioso no caso das organizações é que elas são muito pouco cínicas e dissimuladoras. Afinal, o foco é no resultado, só não vê quem não quer. Qualquer outro princípio é válido desde que não comprometa o princípio maior, que é o do resultado.

Enquanto estivermos apoiados nessa lógica, parece-me absolutamente compreensível que as pessoas "colem", que comprem as respostas do concurso público, porque fomos treinados para isso. Então, se imaginarmos isto que a **Escola de Frankfurt** faz muito bem, que é denunciar nossa incapacidade de uma razão objetiva e nossa supercompetência para a razão instrumental, veremos que estamos absolutamente desabilitados para discutir aonde queremos ir, mas somos fantásticos acumuladores de recursos.

Cortella – Eu não queria perder essa ideia da Escola de Frankfurt, especialmente da razão objetiva. Porque quando você se referiu à possibilidade de uma circunstância do tempo, particularmente com relação ao futuro, poder alterar até o juízo da validade de um determinado ato, eu me lembrei de três situações políticas.

Você mencionou uma, na Espanha. Proponho agora as três seguintes. Qual foi o ato eticamente correto, aceitável e, portanto, justo: colocar **Osama Bin Laden** no Afeganistão a serviço da CIA norte-americana para bloquear o avanço soviético naquela área ou matá-lo? Qual foi o ato eticamente justificável: apoiar **Saddam Hussein** em 1980 no bloqueio aos avanços das forças do Irã comandadas por **aiatolá Khomeini** ou depois enforcá-lo? Qual foi o ato justificadamente correto:

colocar **Kadafi** no controle da circulação de petróleo em relação às outras tribos da Líbia no acesso da Europa ou executá-lo mais tarde? Não se trata de afirmar que é uma ética do "vale qualquer coisa", mas sim que a ética precisa ter uma leitura circunstancial, ou seja, uma leitura que leve em conta o tempo histórico, o momento.

Sempre me lembro, quando citamos um grande código de conduta como a lei mosaica, que um dos dez mandamentos é traduzido como "não cobiçar a mulher do próximo". Esse é um mandamento produzido no século XIII, numa sociedade semita que vivia no deserto. Em hebraico, no original, assim estava escrito: "Não cobiçar o boi, a terra e a mulher do próximo", porque o mandamento se refere à propriedade e não à fidelidade. Mas, se aplicado no sentido em que foi gerado, ele hoje seria classificado de machista, chauvinista.

À medida que a Europa coloca a questão da corporeidade do feminino como propriedade do masculino, no sentido inclusive da sexualidade, a noção de fidelidade – e, portanto, a forma de impedimento do rapto e do estupro, que eram usuais nas sociedades da época e cuja lógica ainda é mantida por algumas delas – vai sendo bloqueada por uma alteração em que a terra e o boi saem do circuito e fica apenas a mulher.

Por que aponto nessa direção? Para não cairmos numa armadilha. Não significa que um código valia de um jeito e agora vale de outro, mas que, se não considerarmos a ambiência histórica, social e cultural, não compreenderemos de fato os valores ali colocados. O que era ser uma boa mulher há 50 anos para as nossas mães e avós é diferente de sê-lo agora. Essa ética do resultado invade um aspecto que é o de se colocar hoje para parte do mundo feminino a tarefa de também dar resultado no mundo do trabalho. Ou seja, fazer com que uma parte das mulheres viva uma tensão contínua entre carreira e família, filho e sucesso... Quanto parece que ainda temos que caminhar nessa laborlatria que, até o final do século XIX, nem vinha à tona como uma questão!

Clóvis – Antes, uma alegoria para ilustrar o que você disse. Aristóteles dá aula no seu liceu e um aluno lhe pergunta o que é ética. Aristóteles não responde, mas conta uma história, aliás, muito conhecida. O comandante de uma embarcação ganha sua vida transportando cargas de um porto a outro. Num determinado dia, ele recebe uma importante encomenda. Contrata uma boa tripulação e parte. Ele conhece aquele percurso como ninguém. No meio do caminho, porém, se depara com um raro acontecimento naquele local: uma tempestade. E aí o comandante percebe que, se não jogar a carga ao mar, é possível que ele venha a naufragar.

Aristóteles não termina a história, o que mostra que, para ele, não era muito importante o que o comandante decidiu. O importante é destacar que a ética é com tempestade e tudo.

Diversas vezes, ouvimos dizer: "Precisamos evoluir muito para chegar ao patamar de uma sociedade ética", sem percebermos que não é bem assim. A ética é a inteligência compartilhada a serviço do aperfeiçoamento da convivência com todas as condições materiais que são as nossas. Se formos esperar uma sociedade ideal para que a ética possa existir, é possível que ela não venha a existir nunca. Então, considero fundamentais essa contextualização da vida e a ideia de que a ética é um saber prático. Como professor de ética, quase sempre sou criticado: "O seu curso é muito teórico". Não diga essa bobagem! Teórico é o *marketing*, ou você já viu cinco Ps* descendo de uma árvore? A ética é o saber... Eu diria mais: não há saber mais prático, no sentido de estar voltado à conduta, do que a ética.

Cortella – Que é a filosofia na origem.

Clóvis – Pois é. E impõe-se uma reflexão ética com tempestade e tudo! Podemos substituir a tempestade pelo Facebook, por exemplo – e o Facebook é uma ferramenta fantástica em alguns casos e terrível em outros, quando usado como *bullying* eletrônico no meio de adolescentes etc. Podemos pensar, também, na questão da publicidade televisiva para público infantil. Por que faríamos um debate sobre isso antes da existência da televisão? E por que debateríamos esse tema se a televisão fosse pública e não tivesse publicidade? Mas o

---

* Produto, praça, preço, promoção e pessoas. (N.E.)

fato é que a televisão existe e ela é financiada pelas empresas, que querem vender alimento para as crianças; portanto, não há dúvidas de que muitas companhias estão lá veiculando publicidade para o público infantil. E é nessa situação concreta que a reflexão ética encontra suas condições de possibilidade. É evidente que o ponto de vista dessas empresas não é o mesmo da Associação das Crianças Obesas da Faculdade de Medicina da Universidade Federal de São Paulo; é evidente que são perspectivas contraditórias. Mas é exatamente esse caldo da vida, o mundo da vida em que nos encontramos, o único mundo onde a ética tem algum sentido. Porque a reflexão sobre idealidades deve ser entendida sempre como norte, mas jamais como uma condição de possibilidade teórica.

Ética como instrução

Cortella – Penso que deve ficar claro, a partir de tudo o que vimos conversando, e como você acentuou, Clóvis, que a ética não é abstrata, não é prática – prática é a moral. A ética é concreta. Não é casual que Aristóteles escreva um livro de ética dedicado ao filho: *Ética a Nicômaco*. (O pai e o filho de Aristóteles tinham o mesmo nome: Nicômaco.) E desse ponto de vista, a ideia da ética como instrução, portanto, como uma concretude na vida das pessoas, obviamente é de natureza exemplar. Esse é um aspecto que algumas famílias, empresas e parte da mídia esquecem. Ou seja, como a nossa formação, dentro de uma sociedade e cultura, se dá a partir daquilo que temos como espelhamento de conduta, crianças e jovens, em grande medida, se formam eticamente a partir daquilo que observam como conduta prática correta do pai e da mãe. Daí a dificuldade de se admitir que o cinismo possa existir no seio da família; porém, é exatamente dentro dela, mais do que na empresa, que ele tem lugar.

Como você bem lembrou, a empresa é um pouco mais clara com relação às coisas: quem quer, quer; quem não quer, não quer. A frase clássica é: "Aqui é assim". E desse modo não se dissimula o objetivo. Já a família é vista como o último reduto em que a proteção ética terá lugar; dessa maneira, "as crianças", diz-se, "precisam ter cuidado é com a rua"... Em algumas circunstâncias, entretanto, o cuidado tem que ser maior com relação à família do que com relação à rua. Porque a rua tem, sim, uma dimensão que é muito mais transparente, muito mais evidente do que, por exemplo, aquelas famílias em que o pai fala uma coisa e age de outro modo. Ou em que a mãe aponta para determinada direção, mas no cotidiano ela se conduz de outra forma.

Eu acho que sua ideia, Clóvis, é decisiva. É mesmo tolice supor que ética seja uma questão teórica. Ela é teórica apenas do ponto de vista daquilo que orienta a prática, mas não é abstrata, não está fora do nosso cotidiano. Portanto, não tratar sobre ela no trabalho, na escola, é furtar...

Fico sempre boquiaberto quando, em debates que promovemos na área de educação, alguém diz: "Tudo isso que o senhor fala" – referindo-se a nós, professores, como senhores – "é muito bonito, mas a vida real não é assim". E eu respondo: "Bom, primeiro vamos analisar o que você entende por vida real. Vida real é a sua vida ou a vida que podemos ter? Realidade é aquilo já existente ou o que trazemos conosco também como possibilidade? Vida real é só a sua ou vida real é aquela mais abrangente, e apenas um dos modos de ela ser é esse que você supõe que seja realidade?". Boa parte dos pais vale-se desse pensamento metonímico, que toma um pedacinho como se fosse o todo.

Ou, então, o pai pergunta: "Mas como vou preparar meu filho como alguém que tem uma conduta ética saudável para um mundo que é inclemente, que é um combate contínuo? Ele ficará despreparado". A grande questão é: você deseja que seu filho construa com seus semelhantes um outro mundo ou que ele se adapte, isto é, que ele se conforme ao que já existe? De novo, aquela velha percepção... Por isso, acho que devemos, como atividade educativa, procurar fazer com que as famílias entendam que adaptar a criança, simplesmente colocá-la como parte de uma engrenagem, é uma forma muito grave de cinismo, mais até do que poderiam imaginar.

Clóvis – Eu concluiria que existe na ética uma ideia importante, da qual gosto muito, que consiste em "dar a cara para bater". E por quê? Recorro a um pensador que sempre me acompanhou na minha trajetória, desde a faculdade de Direito, que é **Rousseau**. (Aliás, Rousseau não merece a fama de hermético que costuma ter. Ele escreve de maneira fácil. Convido o leitor a se debruçar no *Discurso sobre a origem da desigualdade entre os homens*. É um discurso curto, de notável clareza e grande estilo.) Ele explica: o gato nasce gato e, ao nascer, nasce sabendo viver como gato. Ele já tem no seu instinto todas as respostas para uma vida de gato. Assim, um gato com fome não come alpiste, não está programado para isso, tanto quanto um pombo não come filé. Gatos e pombos são regidos pelo próprio instinto.

O que aprendemos com Rousseau? Que não somos nem gatos nem pombos. E por quê? Curiosamente, observa ele, o homem não nasce sabendo. Resta aprender a viver. A natureza não esgota a vida do homem. O instinto é pobre, a vida é complexa; o homem precisa ir além da sua natureza. E esse ir além, *transcender*, é o único jargão que Rousseau usa.

O homem transcende a sua natureza. Ele inventa, cria, improvisa, inova, empreende, pensa em soluções nunca antes pensadas para situações nunca antes vividas. E tenho a impressão de que, se não se entende isso, a ideia de ética fica "capenga". Porque a ética surge por isso. Ela é a transcendência em relação à natureza; a necessidade de encontrar caminhos quando o instinto não responde mais; a necessidade de perceber que vontade não é desejo, porque vontade, muito mais do que uma inclinação do corpo, é uma decisão racional, elaborada e criativa sobre para onde queremos ir. E, por isso, claro está que cabe ao homem fazer o que nenhuma outra criatura mais precisa fazer, como já mencionei: inventar, criar, improvisar, inovar, empreender e, sobretudo, refletir sobre a melhor maneira de conviver.

Veja o caso da formiga. A formiga convive com intensidade. A vida no formigueiro, ensinam os biólogos, é uma vida em que quase todos os seus integrantes trabalham 24 horas por dia, e dois ou três não fazem nada e ficam com tudo. Poderíamos pensar que é uma injustiça. Não é injustiça nenhuma, contudo, porque no formigueiro a vida acontece da única maneira possível, regida pelo instinto, pela própria natureza desse inseto. Uma formiga que não é trabalhadora, mesmo que houvesse uma revolução socialista no formigueiro, não poderia trabalhar porque não tem instrumental orgânico para fazê-lo.

Ora, o que acontece conosco nos "formigueiros" humanos? Se um formigueiro na Idade Média era idêntico a um formigueiro dos dias atuais, no nosso caso não é assim... Não sei se os nossos "formigueiros" são mais justos, mas com certeza poderiam sê-lo. Ou seja, as relações sociais, os papéis sociais são o que são, mas poderiam ser diferentes. Porque não somos regidos pela nossa natureza, podemos transcendê-la. *Devemos* transcendê-la. Devemos sempre buscar, portanto, uma solução de convivência que nos pareça mais adequada.

Tenho a impressão de que é essa necessidade de encontrar novos caminhos para situações muitas vezes inéditas, virginais, que nos coloca numa posição ética maior. Muitas vezes, Cortella, vamos a algum lugar para falar sobre ética e percebemos que ali as pessoas têm dela uma visão impeditiva. Acreditam que ela é uma espécie de tabela que expõe todas as condutas possíveis do homem distribuídas em duas colunas: "pode" e "não pode". O professor de ética, então, é aquele que decorou a tabela. Ora, fica evidente que esse tipo de proposta que fixa em números fechados o certo e o errado da conduta e sustenta uma resposta pronta nos colocaria todos à mercê de uma única tabela. A rigor, uma sociedade ética seria aquela em que todos agiriam da mesma maneira.

Cortella – Ou seja, as formigas de novo.

De vez em quando surge no mundo empresarial algo que é estranho à filosofia; trata-se do "código de ética", ideia que se aproxima muito dessa tabela que você citou. Embora o mercado já tenha consagrado essa expressão, do ponto de vista teórico ela não faz sentido. É possível ter um "código de conduta", é possível um "código moral" – que é aquele que estabelece sim ou não, pode ou não pode –, mas nunca um "código de ética". Assimilamos hoje a ideia desse tipo de código, mas o correto seria "princípios éticos", "princípios de conduta", porque a ética tem, exatamente, a característica de não estar marcada pela natureza. Sua identidade é não estar atrelada a um modo único e exclusivo de condução.

Mas eu queria voltar à sua discussão, Clóvis, sobre a ética como transcendência, aquilo que vai além da natureza, que é o além-óbvio. Acho que hoje temos, de fato, uma sociedade na qual a criança é levada a se adaptar a determinadas normas coletivas na suposição de que elas sejam corretas. A noção de uma sociedade perfeita das formigas foi de algum modo uma ideia platônica. Quando Platão fala dos vários estamentos, quer dizer, filósofos, militares, trabalhadores ou artesãos, a ideia é de uma ordem desordenada. Por que desordenada? Porque na realidade não é uma ordem, mas uma coerção. Nos movimentos que tivemos em junho de 2013 no Brasil, um dos aspectos mais confusos foi o movimento que se define como anarquista com uma suposição, porém, que é violenta com relação ao anarquismo – porque o anarquismo não é ausência de ordem, mas ausência de coerção. E a ética é aquela que concerta os modos de coerção na nossa convivência. A ética não é ausência de disciplina.

Clóvis – Na verdade, estamos sendo obrigados a encontrar mundos cada vez mais rapidamente inéditos. Eu diria, lançando mão da historinha do Aristóteles, que as tempestades são mais e mais inesperadas.

Cortella – Gosto de refletir sobre isso. Trabalho um pouco essa ideia que você expôs quando digo que a ética é uma transgressão da biologia, isto é, uma transgressão da natureza. Toda a ética, no meu ponto de vista, é transcendental sem ser necessariamente religiosa ou metafísica. Claro que é possível ter uma ética religiosa ou metafísica, sem dúvida. Aliás, estão aí os fundamentos kantianos, os fundamentos aristotélicos, os fundamentos platônicos... até Espinosa vai dar certa fundamentação metafísica à questão ética. Mas penso que a ética é transcendência nesse sentido rousseauniano que você usou do ir além-corpo, além-biologia, além-natureza; isto é, ruptura, estilhaçamento daquilo que é o instinto indomável que nós não temos.

Estou empregando de propósito a expressão *instinto indomável* com a ideia de *domus*, origem de domar, doméstico, domínio e casa, para voltar ao *ethos* grego, a morada do humano. Como *ethos*, em grego, é "a morada do humano", a versão latina correspondente é *domus*, ou seja, aquilo que dominamos, que domesticamos. Nós não temos mais instintos indomáveis. É óbvio que temos instintos, a tal ponto que até o Direito releva quando a pessoa age possuída por uma violenta emoção, considerando-a culpada, sim, mas reconhecendo que não teve intenção. Mas há um tempo para isso, e esse tempo é tão marcante que, por trás, há uma ideia que você expôs, que é a ideia de escolha. Assim, o que nos caracteriza é a possibilidade que a formiga, o gato e o pássaro não têm, isto é, a possibilidade de escolher a conduta. Inclusive, escolher errado. E escolher certo ou errado é justamente o campo da ética como princípio.

Não há vida sem escolha, e não há escolha sem valor

Cortella – Retomo aqui a questão que você levantou, Clóvis, e que considero fundamental: por que a ética não permitiria que num formigueiro fosse trabalhada a ideia de justiça? Porque a formiga não escolhe, não decide.

A legislação usa o termo *incapaz* para quem não pode escolher, decidir e julgar por si mesmo. Qualquer outro animal é incapaz de escolher, decidir e julgar. Uma criança, até certa idade, também não tem capacidade de escolha autônoma. O mesmo ocorre com um adulto que sofra algum desvio, como a síndrome de Alzheimer ou um tipo de esquizofrenia. Essas são situações em que há um atenuante, porque a escolha não é realmente conduzida pelo indivíduo. E a ética implica necessariamente conduzir a si mesmo.

Você citou alguém especial, que é Rousseau... Há uma grande discussão na filosofia sobre ele, se aquilo que escrevia era coerente ou não com a vida que levava. Conta a lenda urbana que Rousseau teve tantos filhos e não criou nenhum. Então, aquele que escreve sobre algo precisa ser autêntico em relação ao que diz? Rousseau fala sobre a desigualdade e discute a ideia do contrato social, mas ele, um bom genebrino, teria abandonado os filhos, deixando-os para serem criados por outras pessoas.

Isso comporta uma outra reflexão, que é a ética como autenticidade, isto é, coerência... Autêntico é aquilo que coincide com ele mesmo, isto é, que não é simulacro ou imitação, ou fingimento, ou dissimulação. Em outras palavras, autêntico é o que não perde inteireza e integridade.

Clóvis – Penso que essa necessidade de escolha a que você se referiu justamente indica um ponto muito bacana: durante muito tempo, o homem se julgou superior ao resto da natureza. As frases que ele usa para se definir não deixam dúvidas disso. No passado, estávamos a meio caminho entre os animais e Deus. Depois, viramos filhos de Deus, feitos à Sua imagem e semelhança. E tudo isso por causa dessa soberania existencial. Não é porque temos dois cotovelos, mas porque podemos deliberar sobre a nossa própria vida.

Essa soberania deliberativa, porém, está longe de ser um privilégio. Se é superioridade ou não, não vou entrar no mérito, mas está longe de ser um privilégio. Porque escolher é um imenso "abacaxi". E, o que é mais interessante, não há como viver sem escolher. A escolha se impõe. Como dirá **Sartre**, "somos condenados a ser livres". Não é algo que usamos quando queremos, não é um penduricalho do qual lançamos mão de acordo com nossa vontade. Não. A vida se apresenta de tal maneira que, a cada segundo, temos que deliberar para onde vamos e, o que é mais incrível, temos que jogar no lixo soluções existenciais... São muitas, trezentos e sessenta graus de soluções existenciais das quais temos que nos desfazer em nome de uma só. Quer dizer, a chance de nos arrependermos é imensa, porque temos infinitas alternativas e, ao escolhermos uma, jogamos fora sempre um número muito maior. E veja ainda o que é pior: não vivemos as tristezas das hipóteses de vida que não vivemos, dando a impressão permanente de que teríamos evitado as tristezas que sentimos se tivéssemos optado por outros caminhos, porque, claro, aqueles percalços, não os conhecemos propriamente. Quando escolhemos, temos a impressão de que os problemas acabaram. De jeito nenhum! Uma vez feita a escolha, fica sempre uma impressão de equívoco, fazendo com que nossa vida seja permanentemente acompanhada por um sentimento de angústia que é próprio de quem é livre, sabe que é livre e sabe que tem que exercer essa perspectiva de escolha.

Mas o que é escolher? Se abrirmos qualquer dicionário, verificaremos que escolher é identificar uma alternativa de maior valor – no caso da vida, *A vida que vale a pena ser vivida* (para fazer propaganda de outro livro meu).[*] Então não é possível escolher sem concluir: "Isto é melhor do que aquilo". Dentre as hipóteses que passam por nossa cabeça, atribuir valor a elas e identificar a de maior valor é uma tarefa que nos acompanhará sempre. Não há vida sem escolha, e não há escolha sem valor. Como fazer isso, então?

---

[*] *A vida que vale a pena ser vivida*. Rio de Janeiro: Vozes, 2010. (N.E.)

Se imaginarmos que a cada segundo temos que vislumbrar o que é melhor, há uma quantidade imensa de complicadores que **Edgar Morin** resume com o nome de *complexidade*, no sexto volume do livro *O método*,* que é uma obra admirável. Por que eu pessoalmente gosto tanto dele? Porque os princípios que podemos usar como referência para atribuir valor às possibilidades de vida têm o seu contrário como princípios possíveis também. Darei dois exemplos.

Primeiro: você, Cortella, aplica uma prova a seus alunos porque precisa atribuir-lhes valor para aprová-los ou não. Aí existe um gabarito, uma expectativa de resposta. E é com base nessa referência que você avalia a prova do aluno para atribuir-lhe nota 8,0. Existe, assim, uma referência. Percebemos que sem uma referência não é possível atribuir valor. Então, quando se fala em "crise de valores", talvez se devesse precisar "crise de certos valores", porque não se podem escolher valores se não se tem referência. Se Neymar é um grande jogador, é porque temos a referência de um jogador de futebol. Se a atriz Isis Valverde é uma linda mulher, é porque temos uma referência com a qual a comparamos.

Na hora de reduzirmos isso a princípios, o que acontece? Encontramos um complicador, porque os princípios podem apontar para soluções contraditórias de existência. No exército, a regra da disciplina obriga o soldado a se levantar às cinco da

---

* *O método, v. 6 – Ética*. Porto Alegre: Sulina, 2005. (N.E.)

manhã. Mas no asilo, a regra do repouso faz com que se deixe o idoso dormir. Ora, disciplina é princípio? É, sem disciplina a vida é ruim. E quanto ao repouso, é princípio? É, porque sem repouso a vida também é ruim. E aí percebemos que a vida continua. Não basta mapear a complexidade, é preciso escolher, e quanto maior for a lucidez para mapear a complexidade, mais complicada é a escolha...

Eu me lembro da época em que dava aula na Escola Paulista de Magistratura e uma juíza disse: "Professor, quanto mais eu ouço o senhor, mais difícil fica dar a sentença". Não sei se eu devia me orgulhar porque a meta era dar tantas sentenças por semana ou se eu devia me vangloriar porque lhe dei condições de ponderar e problematizar aquilo que ela antes considerava óbvio. O fato é que a disciplina, no exército, manda acordar às cinco da manhã, e o repouso, lá no asilo, manda continuar dormindo se alguma corneta tocar.

Segundo exemplo: confiança. Baita valor! Para **Tomás de Aquino**: certeza sobre coisas que não podemos demonstrar nem verificar. Sem confiança, não "rola". Você falou que ia à minha casa, Cortella, e fiquei esperando. Quando você disse que ia, você não estava lá. Então, eu só pude confiar. Mas você foi à minha casa. Se nós nos encontramos, portanto, foi porque houve confiança recíproca. Se não há confiança, não há encontro, logo, não há projeto, não há organização, não há empreendimento, não há contratação, não há demissão... não há nada. A confiança é um grande valor. Mas aquele que confia absolutamente verá Deus mais cedo...

Cortella – Com certeza. Meu lema de vida é: "Só os paranoicos sobreviverão".

Clóvis – Experimente sentar-se na faixa de pedestres numa esquina bem movimentada de qualquer cidade. O primeiro carro desvia; o segundo também; o terceiro... você verá que não somos todos confiáveis. Ou não somos todos confiáveis o tempo inteiro e, portanto, a desconfiança também é útil, importante, é igualmente um valor.

Ora, eu poderia falar de transparência e sigilo. Por que não? Transparência: todo mundo sabe de tudo e de todos o tempo inteiro em qualquer lugar. Mas vá o funcionário de um banco à porta de outro, concorrente, dizer: "Em outubro vou lançar um produto que vai te quebrar as pernas". Ele será demitido, porque a regra do jogo é o sigilo. Num jogo de cartas, a primeira regra é não revelar o jogo; é um dos recursos com os quais o jogador conta para vencer, porque o sigilo é condição da vitória. E o mercado é um jogo como qualquer outro: tem *players*, tem jogadores.

O que quero dizer? Que diante dessa complexidade é preciso "dar a cara a tapa". É preciso escolher. Não podemos nos contentar e dizer: "Existe uma grande complexidade e, portanto, não vou sair do meu lugar". Precisamos afirmar: "Isto é melhor do que aquilo. Entre disciplina e repouso, ficamos com a disciplina. Entre transparência e sigilo, ficamos com a transparência. Entre confiança e desconfiança, ficamos com a confiança", por razões que a filosofia ajuda a encontrar.

Cortella – Mas como é bom, em diversas situações, não ter que fazer escolhas! Isso se faz sentir até na convivência familiar. Quando alguém pergunta: "Onde vamos almoçar?", e o outro responde: "Você é quem sabe", aquele que decide tem que assumir a responsabilidade pela escolha feita.

Gosto de citar dois exemplos nessa área. Um é o que chamamos de *escolha de Adão*. Porque num dos dois relatos do livro do Gênesis – são dois em sequência, e eles falam da mesma coisa, mas de maneiras diferentes –, quando Deus cria o homem e em seguida a mulher, a escolha de Adão é facilitada, já que existe uma única mulher. Esse é um tipo de escolha. De um lado, facilitou para Adão, por outro, constrangeu-o.

Que bom quando há algumas escolhas, porque elas oferecem certo conforto, certa consolação; já o fato de não ter escolha se, de um lado, conforta, de outro, é extremamente heteronômico e, portanto, pouco livre, pouco consciente, mais alienado. Há pais e mães que querem formar filhos lançando mão da escolha de Adão. A frase típica é: "Filho, você tem dois caminhos para escolher: o meu ou o errado. A decisão é sua". E desse ponto de vista, desconstrói a capacidade de autonomia.

O outro exemplo vem de **Mário Quintana**, meu ídolo, grande gaúcho de Alegrete, que procuro mencionar sempre que posso... Ele morreu com quase 88 anos, solteiro. E todas as vezes que alguém lhe perguntava: "Por que o senhor nunca se casou?", ele respondia: "Sempre preferi deixar dezenas de mulheres esperançosas do que só uma desiludida". É, portanto, a escolha pela não possibilidade, ou seja, tudo aquilo que deixamos de lado ao fazermos nossa escolha.

Nisso a teologia é inteligente. O monoteísmo judaico trouxe uma das coisas mais fortes da história do ponto de vista ético. A divindade judaica, Javé, não tem predicado. Ele é puro sujeito e verbo. Quando perguntado: "Quem é você?", ele diz: "Eu sou o que sou". Porque toda vez que se indica um predicado, exclui-se automaticamente todo o restante. "Eu sou professor" significa "eu não sou todo o restante"; "eu sou médico", ou "eu sou padeiro" significa "eu não sou todas as outras coisas". Por isso, "Eu sou o que sou", a ideia de uma divindade que é pura ação... No princípio era o verbo. Ele é sujeito e verbo. Ele não tem escolha, ou seja, ele é único. Essa unicidade vai gerar a ideia de uma divindade que é a métrica da ética. E aí surge um complicador. Porque, quando você citou a complexidade de Morin, a questão que se coloca é: "Qual é a referência para eu dizer que estou fazendo a boa escolha?".

Outro dia, em meio a uma conversa, dizia-se o seguinte: "Quando tenho que tomar uma decisão, quais são os critérios para definir se algo é correto ou não, qual é a métrica? É possível ética sem teologia? É possível ética sem Deus?". A grande questão d'*Os irmãos Karamazov*, de **Dostoievski**: se Deus não existe, tudo é permitido?

Sempre retomo o clássico diálogo entre dom Carlo Maria Martini, ex-arcebispo de Milão, já falecido, e **Umberto Eco**, publicado sob o título *Em que creem os que não creem?*,[*] em que o debate principal é: qual o fundamento da escolha? É a possibilidade de haver céu e inferno, isto é, prêmio ou castigo? Ou seja, adoção ou coerção? Volto aqui ao seu ponto de partida, Clóvis: ou eu tenho algum fundamento para a minha boa conduta, que considero boa porque ela faz bem para o outro, ou ela é boa porque está referenciada por um sistema que é convencionado como bom de escolha?

Certa vez, o notável professor da USP **Antônio Joaquim Severino** – que, aliás, para a minha alegria, me deu aulas no mestrado e no doutorado e é autor de um livro que também trata de ética, além do clássico *Metodologia do trabalho científico*[**] – produziu um texto em que diz que existe, sim, um critério: é bom tudo aquilo que faço que diminui o meu poder sobre outra pessoa; é ruim tudo aquilo que faço que aumenta o meu poder sobre ela.

Clóvis – Rigorosamente o contrário de Maquiavel.

---

[*]   *Em que creem os que não creem?*. Rio de Janeiro: Record, 12ª ed., 2009. (N.E.)
[**] São Paulo: Cortez. (N.E.)

Cortella – Exatamente. O inverso do Maquiavel. Acho, Clóvis, que podemos, sim, construir algumas referências do que seja uma ética saudável em vez de cairmos no relativismo segundo o qual, num mundo de multiculturalidade, de respeito à diferença, de acolhimento à diversidade, tudo vale. Não, creio que há coisas que não têm validade. O que você acha?

Clóvis – Sem dúvida. Penso que, nessa busca do fundamento último, poderíamos arriscar pelo menos três exemplos para explicitá-lo.

O pensamento grego parte de uma ideia dominante. Não que não houvesse a contracultura grega dos atomistas etc., mas existe nele um pensamento *mainstream* – **Parmênides**, **Sócrates**, Platão, Aristóteles e os estoicos – que vai nos contar o seguinte: Zeus venceu a guerra contra os titãs e, se antes tudo era desordem, depois dele cada coisa ficou em seu devido lugar. Zeus fez a divisão do mundo, atribuindo uma parte a cada um de seus irmãos que o ajudaram a vencer a guerra. E a justiça é a justeza, o ajuste, como se fosse um quebra-cabeça.

Existe uma ordem no cosmo. O vento, por exemplo, venta como só poderia ventar; a maré também mareia como só poderia marear. Se o vento não ventar, a maré não mareia e assim por diante. Temos aí, claro, um fundamento interessantíssimo. De acordo com ele, devemos agir em harmonia com o cosmo. Em outras palavras: "Como devo viver? Buscando o meu lugar no cosmo". Evidentemente temos a chance de errar, de viver em desarmonia – *hybris* –, em desalinho com o cosmo, o que é catastrófico. É a desmesura, a arrogância. Metade dos mitos gregos é de insolência e a outra metade é de heróis que restabeleceram a ordem cósmica. Então, a vida será boa se estivermos encaixados numa engrenagem que preexiste a nós e, portanto, nos transcende. Qual é a graça da história? O gato não tem outra opção que não seja encaixar-se no cosmo: ele está condenado à ordem cósmica. Mas nós não. Podemos escolher... O encaixe na ordem cósmica é para nós o resultado de uma aventura, de uma busca que pode acontecer corretamente ou não. Então, temos um tipo de fundamento *cósmico*. O divino, para os estoicos, é a própria maravilha da ordem cósmica. O fato de o olho permitir ver adequadamente – e eles sabiam que não foi o homem que fez o olho –, leva-os a concluir: "Caramba, o olho é uma maravilha. Não foi o homem que o fez, existe alguma coisa de divino nessa história". É um divino imanente à ordem cósmica, mas que transcende o homem.

Em seguida surge o pensamento ou fundamento *cristão*. Ele vai "embrulhar para presente", em grande medida, o pensamento dominante da época, porque traz uma proposta de salvação, de luta contra o medo da morte que é invencível. Como os estoicos consideram que o cosmo é eterno, se nos alinharmos a ele, nesse exato momento de alinhamento teremos um instante de eternidade. Sendo uma organização de matéria, quando morrermos, nós nos desorganizaremos, perderemos essa forma de organização, mas a nossa matéria vai se reorganizar de outras maneiras. Vamos virar chifre de bode, por exemplo. Convenhamos que é preciso ser sofisticado demais para perder o medo da morte com esse tipo de promessa.

Cortella – É uma eternidade sem fruição.

Clóvis – É uma eternidade arriscadíssima: "Olhe, você vai virar testículo de javali".

O pensamento cristão chega, então, com uma salvação *VIP*, imbatível até hoje: "Você se salvará com aqueles que ama". Qual é a ideia do pensamento cristão? Um Deus transcendente, criador do mundo e referência para tudo. Percebemos que passa a existir não só uma transcendência em relação ao homem, mas em relação ao próprio mundo. Essa é a concepção que mais conhecemos.

Mas aí, o que acontece? Por causa de tantos percalços, quando ocorreram reformas e divisões e novas interpretações etc., houve uma dispersão da definição da exegese legítima. Em outras palavras, aquilo que era vontade de Deus, e que durante séculos parecia muito claro para as pessoas, aos poucos passou a ser questionado, perdendo essa clareza e a força. A partir daí, observamos um terceiro exemplo, um movimento ou fundamento a que poderíamos chamar de *ética humanista*.

Em resumo: cosmo, Deus transcendente e, num terceiro momento, o homem chama para si a responsabilidade de definir o certo e o errado. Temos um giro antropocêntrico do próprio fundamento da ética, e esse giro aponta para diversos sentidos. Existe um sentido pragmático do tipo: "Eu ajo bem quando consigo o que quero", à moda de Maquiavel. Existe uma perspectiva kantiana intencionalista, a ética da boa vontade com seus imperativos categóricos – isso que você, Cortella, citou e que, a meu ver, encontra na noção de universalização de uma conduta a sua ideia central. Quer dizer, agiremos bem na medida em que todos puderem seguir o mesmo princípio de conduta que assumimos e nós, de certa maneira, desejarmos isso. Agimos com o desejo de que todos possam seguir a máxima da nossa conduta. E seguimos em frente até alcançarmos perspectivas típicas do século XX, quando assistimos ao surgimento de uma ideia de espaço público, que, parece-me, encontra abrigo em boa parte dos pensadores desse século. A ideia é a seguinte: se somos nós que vamos decidir o certo e o errado, então é fundamental que haja as melhores condições possíveis – eu as classifico de democráticas – para que as pessoas possam dizer o que pensam; de certo modo, o certo ou o errado passa a ser o resultado da vitória do melhor argumento numa ética de diálogo, de discussão, de embate e assim por diante.

São, então, três exemplos de fundamento: um fundamento grego cósmico, um fundamento cristão de um Deus transcendente e um fundamento, digamos, habermasiano, em que o certo e o errado vão ser decididos na praça pública.

Ora, poderíamos constatar: "Os três têm riscos". Sem dúvida, porque, quando abrimos espaço para decidir o certo e o errado na praça pública, presumimos condições de idealidade – **Rawls** fala de levantar o véu da ignorância... –, condições que não são exatamente as condições do mundo, da vida, porque, afinal, nem todos têm condições de expor o que pensam; são condições econômicas, intelectuais, emocionais etc. E, por fim, existe uma enorme chance de, ao criar oportunidade para decidir o certo e o errado no espaço público, se esteja chancelando e legitimando o interesse de alguns, mais apetrechados, mais preparados. É o que Bourdieu chamaria de *dominantes*, aqueles que, dentro de um determinado espaço, gozam de condições mais propícias à imposição de seu ponto de vista.

Cortella – Que é a ressurreição sofística, isto é, a volta das artes do debate na ágora que os sofistas conseguiam ensinar a quem os procurasse: falar bem e convencer (mesmo que por ilusão).

Clóvis – Exatamente. Embora seja indispensável termos em mente o tempo inteiro a ideia de um fundamento, estamos longe ainda de encontrá-lo cabalmente, até porque senão já eliminaríamos boa parte dos problemas. Mas o fato é que esses três pensamentos têm atualidade. O pensamento ecologista é, em grande parte, inspirado no pensamento grego. O pensamento cristão continua intacto como pensamento cristão. E o humanista, como eu diria, é um pensamento que talvez permitisse às empresas, por exemplo, aproveitar muito mais o seu capital de inteligência, se todo mundo pudesse levantar a mão e dizer: "Olhem, o meu negócio nesta empresa é fazer isto, mais isto e aquilo. Deixem que eu fale como acho que seria melhor". Mas, por causa de autoritarismos, arrogâncias etc., acabamos não aproveitando aquilo que as pessoas têm de melhor.

Cortella – A contemporaneidade gerou mais angústia no que concerne à questão ética, especialmente nas famílias, deixando os pais perplexos em relação ao modo de orientar escolhas.

Uso agora a sua ótima tripartição. Na concepção grega clássica da ideia de *kairós*, por exemplo, em que se tem a ocasião, a circunstância, a chance, mas se tem também a ideia de destino, a ideia de moira, Zeus organiza uma ordem cósmica e temos que segui-la. É uma concepção trágica, pois existe uma determinação do que vai acontecer e, portanto, não temos escolha; se não a seguirmos, seremos excluídos. E seremos excluídos sem fruição na vida. A concepção cristã coloca algo que é uma referência do bem: Deus disse o que temos que fazer. Podemos seguir ou não. A maçã, ou o fruto, está lá, mas a decisão é nossa. No cristianismo, a lógica é que há escolha e ela é nossa: podemos escolher isto ou aquilo.

Clóvis – O que é mais bonito no pensamento cristão – com o perdão pela ousadia – é a própria mudança da ideia de virtude. Para os gregos, a virtude é a própria força, é o talento natural, digamos, atualizado. A virtude é a própria beleza, a própria rapidez, é um atributo da natureza de um corpo. No pensamento cristão, a virtude deixa de ser isso. Ela passa a ser aquilo que livremente decidimos fazer com os talentos que são os nossos.

Fiz minha tese de doutorado na França com a ajuda do professor Bourdieu. Eu conversava com ele e tinha a nítida sensação de que não jogávamos na mesma divisão, porque seu patamar de intelecção é outro. Ele falava e eu, muito mais novo, quase um moleque, procurava aprender... O que diria um grego? "Há uma discrepância de virtude porque ele tem uma capacidade intelectiva que você não terá nunca." O que dirá o pensamento cristão? "Não é bem assim. Vai depender do que ele decidir fazer com o talento que é o dele e vai depender do que você decidir fazer com o talento que é o seu." Podemos não perceber, mas isso é redentor. Porque a própria ideia de igualdade, que é absolutamente fundamental em qualquer reflexão sobre ética, surge aí. A ética grega é uma ética aristocrática.

Cortella – E eu falava da perplexidade atual, da história contemporânea, por causa da mudança nessas duas matrizes.

Na concepção grega, virtude significa "macho", de *vir*, viral ou viril, portanto aquilo que tem a ver com o que o homem é, ou com aquilo que ele tem de realizar – a concepção aristotélica de ato e potência. E potência como viril, sem a questão de atualmente termos que lidar com potência numa outra percepção. A concepção cristã coloca a virtude como escolha, mas é escolha entre duas opções, entre uma coisa e outra: céu ou inferno; Deus ou demônio. Ela é dualista. A contemporaneidade, a partir da Renascença, dirá que a escolha é inventada. Temos, então, uma multiplicidade de escolhas e, portanto, há um padrão de referências.

Quando nos nossos dias se fala em educação na família e na escola, é muito comum o conjunto de pessoas perguntar: "Mas qual é a referência?". Não há mais padrão de disciplina, não há mais padrão de conduta. No campo da vida pública, quem está correto: aquele do "rouba, mas faz" ou aquele que, sendo decente, nada realiza porque se constrange e aí não tem eficácia nessa organização? Acho que essa complexidade precisa nos trazer, de fato, a percepção de que ser complexo não é ser impossível. Significa que se torna apenas mais difícil que tenhamos que fazer as escolhas, mas essas escolhas continuam existindo.

Clóvis – E, sobretudo, elas podem ser problematizadas. A capacidade de problematizar significa a condição que se tem de perguntar por que certo princípio deve triunfar sobre outro. Essa é a condição do funcionário de um banco que deveria poder questionar por que o foco é no resultado e não na honestidade no trato com o cliente. E a palavra *foco*, para mim, é muito boa. É ela que indica a necessidade de, diante da complexidade dos princípios, ter que escolher. Se os meus princípios apontam para soluções de vida contraditórias, tenho que "dar a cara a tapa". Tenho que dizer: "Isto aqui deve preponderar sobre isso". E, é claro, o foco é absolutamente necessário para que haja vida, mas é necessário também que se possa problematizar onde ele vai ser colocado.

Corrupção: Consequência do sistema?

Cortella – Quando iniciamos esta conversa, relacionei o tema da corrupção com a questão do relativismo moral, da ética da conveniência. Esse pensamento reflete uma escolha do indivíduo, evidencia onde se encontra o seu foco e indica um claro padrão de referência. Depois de conversarmos sobre a ética, então, e trazermos à tona tantas questões a ela referentes, não podemos deixar de lembrar que, quando o indivíduo, a família, a escola, a empresa, a comunidade, a sociedade, as instituições, enfim, admitem uma ética "capenga", a corrupção encontra terreno propício e estende seus tentáculos encontrando, mais frequentemente do que gostaríamos, muito poucos obstáculos.

A corrupção é uma das formas mais agressivas de comportamento porque está no campo público e no campo privado, sendo, portanto, algo da esfera da vida. Você acha, Clóvis, que a corrupção é inevitável? Não incoercível, mas inevitável?

Clóvis – Não concordo, não. É muito comum ouvirmos coisas do tipo: "O problema é o sistema". Aliás, o "problema do sistema" é um argumento que serve hoje como desculpa para tudo. O indivíduo vai pagar uma conta no restaurante e lhe dizem: "Estamos com um problema de sistema" – e sabe-se lá a que isso se refere. Ou vai ao aeroporto e tem que fazer o *check-in* manualmente, porque "deu erro de sistema". Assim, o problema seria o sistema político que levaria a práticas costumeiramente chamadas de corruptas.

Eu gostaria de lembrar, no entanto, um detalhe: o que há no mundo da vida são pessoas. E seja qual for o sistema, sempre haverá a possibilidade de dizer: "Este jogo eu não jogo". Não me venham querer fazer acreditar que as condições de vida possam ser tais que eu me veja impedido, em última instância, até mesmo de recusar-me a participar do jogo quando não houver nenhuma possibilidade de que ele seja conduzido como eu quero. Dizer, portanto, que o sistema constrange à corrupção sem que haja nenhuma possibilidade de questionamento me parece extremamente confortável para todos aqueles que buscam, muitas vezes, tirar de si a responsabilidade pelas escolhas diárias.

Vou fazer uma comparação que, num primeiro momento, pode parecer esdrúxula... Que tipo de literatura realmente vende numa livraria? "Dez lições para isso", "Dez lições para aquilo", "Como eliminar seu chefe", "Como passar a perna no seu adversário", "Como dar prazer na cama", "Como não sei o quê"... Tudo isso significa o quê? Faça isso e se dê bem. Por que livros assim vendem muito? Porque queremos, de certa maneira, tirar de nós a necessidade de ter que escolher a cada momento – porque as escolhas são difíceis! Escolher entre o bom e o bom é ruim (é até engraçado afirmar isso), porque a pessoa tem que jogar um bom fora; escolher entre o ruim e o ruim é horrível, porque ela tem que ficar com um ruim. A única escolha confortável é entre o bom e o ruim, mas isso já nem é uma escolha.

Cortella – É o dilema de **Pascal**, que muitos chamam de a "aposta" de Pascal, pois ele refletia ser melhor acreditar em Deus do que não acreditar, já que com a primeira escolha nada tenho a perder, dado que, se Deus existe, estou protegido, e se Ele não existe, tanto faz; se não acredito em Deus e Ele não existe, tanto faz, mas, se Ele existe e não acredito, estou perdido!

Clóvis – Escolher é um "abacaxi", como já afirmei. Então, o que o indivíduo faz? Compra uma vida: "Os 7 hábitos das pessoas felizes". Depois: "Os 7 hábitos das pessoas financeiramente felizes", "Os 7 hábitos dos adolescentes altamente felizes"... E deverá surgir "O oitavo hábito...", porque os sete primeiros claudicaram. Ora, então, por que isso vende tanto? Porque o indivíduo prefere uma solução pronta a outra que ele mesmo tenha que buscar. Você percebe, Cortella, que existe uma tentativa permanente de redução da angústia da escolha com base na aquisição de protocolos prontos de existência.

Voltando ao caso da explicação pelo sistema: nenhum idiota ousaria dizer que as condições materiais de vida não são influenciadoras do nosso comportamento. A psicologia social está aí para mostrar que, dentro de determinados contextos, o homem tende a agir de um jeito, mas, se alterado o cenário, o mesmo homem age de outro modo. Eu mesmo fui orientado, em meus estudos, por um professor que falava sobre os campos sociais, hábitos etc. E trago isso muito claro em minha mente, tenho até um roteiro preparado de quais são as condições sociais que favorecem a corrupção e quais são as que supostamente a desincentivam, segundo as pesquisas que existem aos quilos por aí.

Mas nada disso elimina o meu ponto de partida: ainda existe no último instante a possibilidade de dizer não. Sempre existirá.

Cortella – É esse o ponto a que me referia quando você falou de ética transcendental, isto é, aquilo que ultrapassa a estrutura, a natureza, a biologia. No que diz respeito ao sistema, por exemplo, não é porque a instituição matrimonial vive um momento de crise em nossa sociedade que o mesmo tem que acontecer com o meu casamento; ou seja, não é uma obrigatoriedade, não é um imperativo.

Ao dizer que nunca deixaremos de ter corrupção, não quero afirmar que ela é obrigatória, mas sim que é uma possibilidade. E como é uma possibilidade de nossa escolha livre, sempre poderemos ter pessoas que escolham de maneira equivocada o caminho que corrompe, que apodrece, seja na vida privada, seja na vida pública. A corrupção não é uma obrigatoriedade porque ela reserva, como você lembrou, Clóvis, o campo da escolha, da decisão, do juízo. Mas, sendo uma possibilidade – porque senão não haveria escolha, ela deixaria de ser ética, seria uma norma de conduta obrigatória –, ela precisa ter mecanismos de constrangimento no cotidiano da vida pública e privada. Ou seja, a formação da família e da escola, oferecendo tudo aquilo que cerceia não a livre escolha, mas a má escolha dentro da livre escolha – escolha que é má porque é má no coletivo; é má porque ofende a convivência de uma vida saudável coletivamente. É claro que um aspecto muito importante é até que ponto há uma percepção cínica em relação a essa questão.

Mostrei, certa vez, em entrevista para um programa de televisão, que a percepção mais clara da escola cínica é o seriado do *Chaves*. Esse personagem foi inspirado em **Diógenes**, nome basilar da escola cínica, que, segundo a lenda, vivia num barril. O mesmo acontece com Chaves, personagem vivido por Roberto Gómez Bolaños. Por outro lado, a clássica frase do Chaves, "foi sem querer querendo", é uma expressão da escola cínica não como lema, mas como possibilidade de interpretação. Ou seja, a escola cínica expressa a convicção da absoluta liberdade da ação do indivíduo. E é interessante, porque o Chaves, não possuindo propriedade, é a única pessoa livre naquele universo. Além disso, uma curiosidade: não existe animal de estimação naquela vila onde os personagens vivem, ou melhor, ele, Chaves, é o animal de estimação. E se qualquer coisa acontece por lá, ele é sempre o primeiro a ser acusado e punido. É o único sincero sendo cínico.

Por que fiz essa digressão? Porque a palavra *cinismo*, do grego *kunismós*, deriva de "cão", *kunós*, também em grego. E o que é o cinismo no cotidiano do cão? Quem já teve um cão pode constatar que ele é um ser contraditório como nós, por isso é considerado nosso melhor amigo. Ele é leal até a radicalidade e fingido até a radicalidade. Isto é, o cão é de uma lealdade absoluta, mas quase em igual proporção é seu fingimento. Se nos distraímos, ele pega comida sobre a mesa, faz aquela cara de cão pidonho quando deseja alguma coisa, segue-nos, mas, quando fica irritado ou carente, faz xixi onde não deve... Tem toda uma convivência que leva o cão a adotar essa percepção. Em outras palavras, tal como nós, o cão é interesseiro. Cães têm donos, diferentemente dos gatos que, majestáticos, têm servidores. Gatos não obedecem a nós, só obedecem à própria natureza. E, sim, o cão é o mais doméstico porque é o mais parecido conosco.

Pois bem, tratando da ética, quando se diz de um político, um líder, um pai de família, um professor: "Esse cara é um cachorro!", se está, de fato, encarnando nesse indivíduo alguma possibilidade dentro dessa condição, porque o que se destaca no tema da corrupção na relação do público com o privado é o cinismo. Você pensa assim, Clóvis?

Clóvis – Penso sim. Retomando essa ideia do cinismo, creio que existe uma concepção de corrupção que me agrada demais e que vale a pena destacar aqui. É do **Mark Warren**, professor da Universidade de British Columbia. Ele propõe que corrupção "é a exclusão sistemática de certos grupos da real vida política de uma sociedade". Veja que não se trata de um efeito provocado pela corrupção. Não. A corrupção é exatamente isso.

Vamos imaginar que, numa comissão de questões econômicas numa casa legislativa, determinado banco tenha as suas teses permanentemente entendidas como vitoriosas. É o que costumamos chamar de um bom trabalho de *lobby*, de tal maneira que aquele ponto de vista costuma ganhar. Ora, a vitória do ponto de vista desse banco tem uma consequência óbvia, que é o desatendimento sistemático dos interesses contrários. A corrupção seria exatamente isto: a exclusão sistemática e permanente de certos segmentos da sociedade em proveito de outros. E perceba qual é a graça dessa definição: é que ela não vincula necessariamente a corrupção a um ato de ilegalidade. É perfeitamente possível que tudo aconteça dentro da mais perfeita legalidade. Mas todas as vezes que, dentro de uma sociedade, houver discriminação permanente de um grupo em detrimento de outro ou de outros grupos que são sistematicamente beneficiados, há aí uma situação de corrupção.

Por que acho essa definição encantadora? As manifestações de rua que tivemos em 2013 em vários locais do país, embora de forma muito caótica como convém a manifestações genuínas, acabam denunciando problemas de representatividade e problemas de corrupção. As pessoas não se sentem concernidas pelas instituições do Estado. Ora, percebo que, de certa maneira, essa sensação de que aqueles que detêm o poder de decisão não estão levando o povo em consideração é uma sensação diretamente ligada à ideia de corrupção proposta pelo professor Warren – ideia que me pareceu destacar-se por apresentar algo de diferente quando examinei as diversas definições de corrupção.

O leitor poderá perguntar: "Muito bem, mas quais são as condições propriamente institucionais que favorecem ou desfavorecem atos de corrupção?". Não estou negando que elas existam, insisto. E vale a pena estudá-las, porque, claro, o indivíduo imune à corrupção não tem que, necessariamente, ser um herói.

Cortella – Nem seria virtuoso...

Uma questão de escolha

Clóvis – É fundamental que a sociedade seja organizada de maneira que facilite comportamentos dos quais não tenhamos que nos envergonhar, para usar uma nomenclatura cortelliana. Se temos que montar a sociedade nós mesmos e os sistemas não se impõem a nós porque a sociedade bem ou mal resulta de nossas deliberações, então é claro que podemos fazer com que os sistemas sejam diferentes. E a ciência nos ajuda muito a encontrar as brechas por meio das quais isso poderia melhorar. Posso mencionar uma série de pequenos exemplos que são extremamente curiosos...

Uma primeira ideia, polêmica, que se afirma na literatura clássica, é que a corrupção política é tanto mais provável quanto mais pobre for a sociedade. Isso está presente em grande quantidade de trabalhos científicos sobre corrupção. Alguém poderia argumentar: "Isso significa que o pobre é corrupto e o rico não é corrupto?". É evidente que não. Estamos dizendo que existe aí uma primeira proposta que se submete à validação científica, que é a seguinte: em sociedades mais pobres, a corrupção é mais presente que em sociedades mais ricas. Isso nos coloca numa posição muito difícil porque todos nós sabemos o quanto é complicado enriquecer. Então, claro, alguém poderia dizer: "Mas é graças à corrupção que há o empobrecimento da sociedade". Aí temos as dimensões *estruturante* e *estruturado* – sempre haverá uma ida e uma volta –, mas eu diria que pobreza e corrupção são elas mesmas fatores estruturantes e estruturados, causa e consequência de si mesmas.

Um segundo ponto é a ideia de que uma cultura de submissão e excessivamente respeitadora de hierarquias é uma cultura que favorece comportamentos de corrupção. Em outras palavras, quanto mais houver numa sociedade a possibilidade de o indivíduo dizer o que pensa – mesmo que seu ponto de vista não seja vitorioso, mas que ele não tenha medo de exclusão por defender os princípios que gostaria que fossem respeitados por todos –, maior a dificuldade de emergência de comportamentos corruptos. Poderíamos pensar no caso específico de universos menores, como empresas. O que concluiríamos? Quanto mais houver condições econômicas, intelectuais e emocionais, dentro de uma empresa, para que todos possam expressar o que gostariam que acontecesse ali dentro, menor a chance de comportamentos corruptos, e isso pode ser estendido para toda a sociedade.

Lançando mão da trilogia da legitimação de **Max Weber**, em que a legitimidade é tradicional – porque o poder sempre foi exercido por alguém e deve continuar sendo –, carismática e legal, racional, o que afirmam os estudos é que quanto mais os processos de legitimação de uma situação de poder estiverem centrados na tradição e no carisma, maiores as chances de condutas corruptas. Quanto mais os processos de legitimação estiverem centrados menos em pessoas e mais em processos institucionais e normas preestabelecidas de exercício do poder, menor a chance de uma situação de corrupção.

Nesse sentido gostaria de destacar, não sei se você concordará comigo, Cortella, que o Brasil é um país em franco avanço, porque cada vez mais as situações tradicionais de poder aqui passam a ser questionadas. Cada vez mais o carisma dos líderes pode ser questionado livremente, ainda que venham a triunfar com ele. E cada vez mais as regras e o prestígio das instituições acabam, de certa maneira, prevalecendo sobre quem vai mandar e quem vai obedecer.

Cortella – É isso mesmo, acho que você está absolutamente certo. E quanto às instituições, penso que um dos aspectos que favorecem a corrupção do dia a dia é uma cultura em que ela seja entendida como natural, isto é, como parte da vida e, portanto, "o que se pode fazer?". Isso vem sendo rompido no Brasil pouco a pouco. A corrupção deixou de ser entendida como natural, passou num determinado momento a ser percebida como normal, isto é, fazendo parte da norma da vida coletiva, e hoje é entendida como comum; portanto é um critério de frequência. Quando é natural, não há o que fazer...

Clóvis – ... é da natureza humana...

Cortella – Quando é normal, faz-se necessário mudar a norma, o que não é tão fácil porque depende de outras coisas. Mas quando é comum, é preciso diminuir a frequência.

Focando sociedades que são muito mais participativas como veio democrático, como a Suécia, por exemplo – pela qual tenho grande admiração em relação a alguns aspectos, não tanto em relação a outros –, podemos apontar algumas curiosidades. Debati lá algumas vezes, no Centro de Estudos Latino-Americanos, e precisava pegar o trem de Sigtuna, a comuna em que eu me hospedava, até a universidade em Estocolmo. Podia observar todas as pessoas em ordem, silenciosas. Era comum vê-las com seus fones de ouvido, algumas comendo tranquilamente seu iogurte, sempre respeitando o outro. Mas, se uma delas desabasse de fome ou em razão de um mal-estar dentro do vagão do metrô, as pessoas não se mexiam; apenas uma se levantava e acionava a autoridade que iria resolver aquilo. Desse ponto de vista, é uma sociedade da ordem, bem de acordo com a terceira vertente weberiana, para me valer do que você falava.

Outra curiosidade: não há, obrigatoriamente, bilhete do metrô. Por exemplo, eu comprava um cartão com validade de 30 dias para ter acesso ao metrô diariamente. Mas eu não tinha que passar esse cartão na catraca, ela era livre. A suposição é de que ninguém passaria sem o cartão e, quando chegasse próximo ao vencimento, seria necessário adquirir outro. O pensamento dominante era: "Como eu roubaria o poder público se o poder público sou eu mesmo?". O autoengano e o autofurto seriam estranhos, incompreensíveis. Então, ninguém passava sem o cartão. Mas o sueco não é maluco. Duas vezes ao dia, em alguma estação, havia uma *blitz*, e aí se pedia o cartão. Se a pessoa fosse sueca e estivesse sem cartão, pagaria, na época, dez mil coroas; se fosse estrangeira, seria deportada. Portanto, seguindo o ditado muçulmano: "Confie em Alá, mas amarre bem seus camelos". A ética não é uma questão de frouxidão em relação ao seu modo de controle, outro aspecto que é muito colocado e é verdadeiro.

Na mesma Suécia, uma questão de cultura... Na universidade, como numa fábrica, o estacionamento enche de fora para dentro, isto é, quem chega cedo estaciona o carro mais afastado do prédio central; quanto mais tarde se chega, mais perto do prédio central se encontram vagas para estacionar. Porque há uma suposição ética: quem chega mais cedo tem mais tempo para caminhar até o prédio.

É exatamente o inverso do que nós vivemos. Nossos estacionamentos enchem de dentro para fora, são centrífugos, porque a suposição é: "Eu me levanto cedo, então pego o melhor lugar; você, que vai chegar mais tarde, 'dane-se' (ou uma expressão caipira de Londrina: 'lasque-se'), quem mandou não se sacrificar como eu?".

Então, o povo sueco tem uma cultura muito forte de controle da corrupção, do dado público para o privado e para o estatal, mas é capaz de deixar de lado o semelhante se não estiver no campo da ordem.

Agora, vou inverter. Vou passar da Suécia à Suíça. A Suíça, segundo dados de um relatório atual,[*] é o sétimo país com menor corrupção do mundo, mas é um dos lugares que mais abriga em seus bancos recursos financeiros oriundos de desvio e corrupção. Isto é, a Suíça – lembrando que Rousseau nasceu no que hoje seria a Suíça – é uma nação com a menor presença de corrupção, mas que abriga empresas que corrompem outros países do mundo. Portanto, uma grande questão: do ponto de vista ético, corruptor e corrupto se distinguem em quê?

Como padrão de referência, temos uma nação que controla a corrupção interna, mas que pode usar a corrupção como um *modus operandi* em relação aos colonizados, para empregar uma expressão mais antiga...

Não é que "vale qualquer coisa", mas o não corrupto é aquele que não se corrompe e também não busca corromper. Pois, se entendemos a corrupção como aquilo que apodrece, que degrada, que profana, temos que entender que essa profanação se dá como uma decisão, e a não profanação também. O que faz o ladrão, portanto, não é a ocasião. O que faz o ladrão é o indivíduo, que pode ser ladrão ou não,

---

[*] Relatório da organização não governamental Transparência Internacional, 2013. (N.E.)

aproveitar a ocasião. Em outras palavras, a ocasião faz o ladrão só quando há uma decisão por ser ladrão; não é a ocasião, mas o possível ladrão que decide. Portanto, a decisão continua a ser determinada pelo indivíduo e não pela circunstância.

A corrupção e o sistema político

Clóvis – Penso que há uma diferença interessante entre o corruptor e o corrupto. O corruptor detém algo que o corrupto almeja. É muito comum em nossa sociedade que a chamada esfera privada atribua à esfera pública, quando a ela se refere, o privilégio, o monopólio das práticas de corrupção. Mas cabe perguntar: quem pode corromper?

Eu, por exemplo, não posso corromper alguém simplesmente porque não tenho nada a oferecer em troca de algum favorecimento. É evidente que quem tem a possibilidade de corromper tem, em primeiro lugar, interesses importantes e, em segundo, recursos compatíveis com esses interesses. O corruptor é, necessariamente, detentor de algum tipo de capital que pode ser, em sua versão mais grosseira, um capital econômico, mas, em versões mais sofisticadas, um capital de qualquer tipo: capital social, político, de reconhecimento, de consagração, de legitimação etc. São tipos de capital, digamos, muito mais difíceis de interceptar pelas vias normais de controle.

Fica assim claro que, quanto mais tivermos proximidade e participação da sociedade em atitude de vigília em relação a seus representantes – aquilo que você, Cortella, trata muito bem em seu livro em coautoria com o **Renato Janine**

Ribeiro, *Política: Para não ser idiota** –, maior será a tendência a diminuir a corrupção. Alguém pode perguntar: "Mas como proporcionar isso?". Ora, existem alguns mecanismos que claramente favorecem essa condição.

A título de ilustração, consideremos o sistema eleitoral. No dia da eleição, a pessoa vota em um candidato que escolheu – por exemplo, deputado estadual ou deputado federal. Esse candidato pertence a uma lista com nomes oferecidos por um partido de coligação. O eleitor escolhe um deles, que será eleito ou não, dependendo da posição que ocupar naquela lista em função do número de um quociente eleitoral. Ora, isso poderia ser feito de outra maneira, é sempre bom lembrar. Como não somos formigas, em nosso caso é possível fazer mudanças e tornar o processo diferente.

Então, imaginemos uma situação em que, em vez de se votar em listas, o estado de São Paulo seja dividido em circunscrições. Se houver 50 vagas para o Congresso, a divisão será em 50 partes; se houver 100 vagas, serão 100 as partes. E cada parte elegerá o seu representante ali. Trata-se do sistema distrital, uma maneira de tornar isso mais lúdico.

Em São Paulo, por exemplo, os bairros Perdizes e Higienópolis seriam uma circunscrição. Os moradores dessas imediações elegem o seu candidato. Onde ele mora? Em Perdizes ou em Higienópolis, na esquina da avenida Angélica

---

* Campinas: Papirus, 2010. (N.E.)

com a rua Maranhão, por exemplo. A proximidade é óbvia. É alguém que aqueles moradores conhecem muito bem, que vive ao lado deles, que frequenta a padaria Benjamin Abraão ou a padaria Aracaju. Estudos apontam que essa proximidade dos eleitores garante uma diminuição das condições de corrupção, porque fica no mínimo mais constrangedor para o político uma conduta da qual ele se envergonhe.

Outro aspecto que merece reflexão é o caso de campanhas em que o candidato recebe votos do estado inteiro. Se ele se candidatar a deputado federal, vai fazer campanha de norte a sul e de leste a oeste do estado, percorrendo todos os cantos possíveis. Naturalmente, essa é uma campanha mais cara. Ora, se ela é mais cara, é mais passível de ser ajudada pelas forças do capital. Quanto mais barata for a campanha – porque não só o candidato, mas cada um de seus eleitores pode sair até mesmo a pé para fazer campanha, prédio a prédio, comunidade a comunidade... –, mais ela desincentiva grandes aportes de dinheiro. Qual é a vantagem disso? É que o eleito não se sente constrangido a devolver, numa perspectiva de **Marcel Mauss**, tamanha "generosidade" daquele que bancou sua candidatura. O barateamento das candidaturas leva a uma autonomia do eleito em relação a seu povo soberano, eleitor e representado.

Cortella – Não há retribuição de favores, e, desse modo, as possibilidades de uma permuta interesseira, em vez de interessada de fato nos "interesses" da comunidade local, fica mais distante. Parece até que o uso da palavra "obrigado" em nosso idioma cria, especialmente nesse campo da ação política pública, uma obrigação de reciprocidade, mesmo que, ironicamente, uma de nossas formas de agradecimento mais carinhosa seja "Deus lhe pague"...

Clóvis – É lógico que se pode contrapor: "Mas o sistema distrital tem os seus inconvenientes". Sim, mas estamos tratando aqui de corrupção. É claro que, dependendo do lugar em que estiver o nicho eleitoral do candidato e de quem o elege, vai ser difícil ter muita autonomia em relação aos eleitores, pode haver constrangimentos de outra ordem. O que eu quero dizer é que, por exemplo, num lugar em que há algum tipo de tráfico – de pessoas, de pedras preciosas, de drogas etc. –, o candidato eleito ou é um Al Capone ou fica refém de uma série de forças. Mas eu pergunto: a democracia não é a busca de uma representatividade nos seus mais amplos segmentos? Como fazer diferente? Por isso eu trouxe a sugestão do sistema distrital.

Cortella – Nossa democracia, muito recente como instituição mais perene, ainda está estruturando caminhos mais adequados para nossa própria organização social; basta lembrar que, embora sejamos um país com mais de 500 anos de fundação, nem 10% desse tempo foi, concretamente, uma democracia formal. Nos primeiros 322 anos fomos uma Colônia; nos 67 anos seguintes um Império; nos próximos

100 anos de República (1889-1988) uma alternância de voto não secreto, com eleitores por renda, exclusão de analfabetos adultos e ditaduras... Apenas com a Constituição de 1988 (488 anos depois da fundação) tivemos uma formalização abrangente da democracia.

Clóvis – Queria chamar atenção ainda para mais um aspecto, que é a própria questão do sistema partidário. O que aprendemos observando a nossa realidade política, bem como o que nos contam os nossos estudiosos? Aprendemos que o sistema partidário, bem como a natureza dos partidos, é fator extremamente relevante para definir um quadro favorável ou não de corrupção. Exemplo: um grande professor de Direito Constitucional, **Maurice Duverger**, de quem eu tive a honra de ser aluno no seu último ano de magistério, escreveu em 1951 um clássico chamado *Os partidos políticos*, publicado em 1980 pela Universidade de Brasília (UnB). Duverger estabelece duas tipologias clássicas: a primeira é sobre a origem dos partidos políticos e a segunda é sobre a estrutura deles.

De acordo com ele, os partidos costumam ter duas gêneses. A primeira é a chamada *eleitoral e parlamentar*. Significa que parlamentares começam a se organizar e votar juntos. Existe uma divisão social do trabalho parlamentar, e o grupo percebe que seria interessante continuar ali; começa, então, a se organizar eleitoralmente e compõe um tipo de partido político. Para o professor Duverger, esse partido patrocina certo tipo de corrupção que já é clássica nas relações entre Executivo e Legislativo. É a certeza de que o partido "parlamento" – a parte que é constituída de deputados e senadores – tem tamanho poder que isso acaba forçando o atendimento de suas reivindicações mais óbvias como, por exemplo, colocar no Executivo amigos, fiéis políticos, aqueles que financiaram sua campanha etc.

A segunda gênese de partido político é o chamado partido de origem externa. Trata-se daquele formado a partir de sindicatos, de associações, de escolas de pensamento. Os exemplos são óbvios. Entre os partidos criados a partir de sindicatos, aqui no Brasil temos o Partido dos Trabalhadores (PT); na Argentina, o Partido Justicialista (PJ); na Espanha, o Partido Socialista Operário Espanhol (PSOE); na França, o Partido Socialista (PS); na Inglaterra, o Partido Trabalhista Independente (Labour). É o surgimento de um partido político que costuma patrocinar um tipo de corrupção completamente diferente do primeiro. E isso é interessante, porque começamos a perceber que, dependendo de como o partido foi se estruturando, ele tende a forçar certas práticas de corrupção de modo aparentemente inexorável e que se relacionam a uma forma particular de exercício do poder. Então, é claro, depende um pouco daquele para quem o indivíduo tem que prestar contas.

A corrupção e a família

Cortella – Creio que, quando falamos em vida, estamos nos referindo sempre à vida pública. Afinal, vida é pública porque convivência não é vivência. Nossa vivência é convivência. Pensando em ética e, dentro dela, na possibilidade da fratura que é, por exemplo, a corrupção de qualquer natureza, faço uma distinção – que pode até ser formal – entre vida pública privada e vida pública estatal. A vida acontece numa comunidade; tem-se, portanto, a vida pública de natureza privada, que é o indivíduo, e a vida pública de natureza estatal, que é o governo, o parlamento, a justiça e tudo aquilo que é órgão de Estado para que a vida – para usar a expressão de Rousseau – não esboroe de vez, ou, para que "o leviatã não saia solto por aí", lembrando **Thomas Hobbes**.

Desse ponto de vista, em relação à corrupção há, dentro da vida pública privada, alguns impeditivos. Um deles é o fato de se fazer da família um partido rígido em vez de flexível, isto é, uma família que tenha a capacidade de atuar como bancada em vez de pai e mãe – se é essa a composição familiar – agirem em total desacordo, cada um "atirando" para um lado. Porque, se há algo que fragiliza a capacidade de formação e convivência, é essa frouxidão em relação aos elementos em que o pai ou a mãe podem ser corrompidos.

Clóvis – Tem certas coisas que merecem cumprimentos. Eu não poderia concordar mais.

Cortella – Então, se a corrupção dentro de uma família for admitida, ela ali se estabelecerá. Crianças aprendem desde bebês, ainda no berço, como fazer isso, seja com o choro ou com o bracinho esticado, seja com o tipo de afago ou com relação ao beijo. Isto é, ser corrupto é uma possibilidade quase berçária.

Usando os conceitos que você, Clóvis, trabalhou tão genialmente, se na constituição do estado familiar, nessa esfera da vida privada, não houver uma conduta que se defina como uma bancada, abre-se a possibilidade da negociação corruptiva. E desse ponto de vista, há o estilhaçamento da disciplina, da ordem e, ao mesmo tempo, da sanidade daquela condição. Nós aprendemos a fazer isso com facilidade. O cinismo, o fingimento são atitudes que, nesse caso, comprometem o entendimento, a harmonia familiar.

Nessa hora, volto a um ponto: o pai ou a mãe, ou aqueles que criam uma criança – sejam dois pais ou duas mães –, precisam, acima de tudo, ser capazes da natureza exemplar. De nada adianta falar contrariamente à corrupção na vida estatal, mas no cotidiano contradizer essa conduta dentro da família. Isto é, a criança observa que a relação do pai ou da mãe com uma eventual serviçal é de natureza autoritária e que, ao mesmo tempo, eles negam a ela o registro a que tem direito. Ou, por outro lado, o pai e a mãe pregam algo, mas, quando sondados por um agente público de trânsito, tentam minimizar o modo de relacionamento e até de penalidade que deverão ter. Numa festa, por exemplo, a criança percebe quando o pai, para ser mais bem-servido, deposita uma nota de R$ 20,00 ou de R$ 50,00 no bolso do garçom para que ele dê prioridade àquela mesa – e hoje a presença de câmeras em todos os locais dificulta atos de suborno, porque a vida privada, ao se tornar mais publicizada, cria mais honestidade também...

É, então, uma série de exemplaridades da parte de quem forma as crianças – a atuação como bancada, mesmo com todo o constrangimento que produz, ainda assim gera um efeito maior de natureza ética na formação e na educação. Por outro lado, há a exemplaridade em relação àquilo que se deve fazer – nesse quesito, a escola tem limites, porque o tempo durante o qual a criança fica exposta ao conjunto das situações escolares é muito menor do que aquele em que ela fica exposta ao conjunto das situações familiares.

Hoje nós temos um confronto muito grande no espaço do ensino fundamental, porque uma parte considerável das crianças, especialmente as de classe média, não convive com adultos durante o dia. Elas se levantam da cama sozinhas com uma tecnologia que as desperta, elas mesmas pegam o lanche eventual que vão tomar, saem sozinhas para ir a pé ou para pegar o veículo que vai levá-las até a escola e só vão encontrar um adulto à noite. Muitas vezes, o único adulto que encontram no dia a dia é a empregada doméstica – dependendo da camada social –, de quem elas são chefes, em quem elas mandam e a quem elas corrompem eventualmente. Nessa circunstância, qual é o primeiro adulto que a criança encontra no seu dia a dia? O docente, que é aquele que vai dizer: "Cadê o uniforme? Fez a tarefa? Tira esse fone de ouvido. Não faça barulho nessa hora". Não é casual que haja uma colisão entre aluno e professor, inclusive um aumento da violência, que é uma forma de constranger o profissional.

Hoje, na educação, há um modo de corrupção que não é de natureza monetária: é quando pai e mãe substituem a relação de respeito no trabalho do magistério pelo Código de Defesa do Consumidor. E, portanto, quando eles têm uma demanda no espaço escolar em relação ao filho, recorrem ao referido código e ensinam a criança a dizer: "Eu pago o seu salário". E assim, uma relação docente-discente, que tem também uma finalidade de elevação de convivência ética saudável, de formação científica sólida, de estrutura de cidadania, acaba sendo transformada em mercadoria. O professor, considerado então um mero prestador de serviço, será comprado pela ameaça. Não é o dinheiro que vai comprá-lo. É outra forma de corrupção... Não quero encarar a corrupção apenas como aquisição financeira ou monetária, mas como tudo aquilo que esboroa e apodrece a nossa capacidade de uma convivência decente. E há muitos modos de corromper. A ditadura corrompe não porque ela compra, mas porque apodrece a liberdade de escolha do indivíduo. A democracia sem organização de natureza coletiva, portanto não sendo qualidade social, mas privilégio, corrompe porque se ausenta. E aí volto àquela outra conceituação do professor que você mencionou, isto é, aquela que se resume a uma maneira de excluir.

Existe, portanto, uma possibilidade de olhar essa corrupção no cotidiano, no dia a dia, não só como aquilo que movimenta dinheiro ou favores, mas a corrupção que é afetiva, a corrupção de natureza do assédio moral – assédio que vem do uso do poder.

Por exemplo, peço algo a uma pessoa e ela me dá. Peço porque tenho interesse em fazê-lo, e a pessoa me dá porque também tem um interesse nessa transação. Nesse momento, então, essa reciprocidade corrompe a minha integridade...

Partidos não tão flexíveis, inclusive no campo da família, atuam melhor. Daí as escolas, que no meu entender têm melhor nível de sucesso, serem aquelas que funcionam como bancada. Nessa hora, o ensino confessional é altamente vantajoso na história. Não que seja a única forma, nem sempre deve ser uma maneira exclusiva de trabalho, mas o funcionamento do ensino confessional como um partido de massa, e não como apelo puramente carismático, tem outra dimensão. O **papa Francisco**, apesar de ser carismático, quer uma igreja de massa, em que ele diz: "Eu sou o bispo de Roma. Vocês são os outros bispos". Relativizando a postura imperial, diminui a chance de corrupção.

Uma coisa é a percepção fatalista da corrupção, da degradação, do apodrecimento da convivência saudável. Embora isso seja um fato, não é fatal; embora seja uma possibilidade, não é obrigatória. Isto é, há uma série de mecanismos institucionais na família, na estrutura político-partidária, na estrutura de governo de uma nação, numa empresa, que precisa cercar essa possibilidade humana que é o malefício. Freud diria que é a civilização que vai fazê-lo. Entendemos como civilização aquilo que coloca regras de convivência que permitam que o indivíduo se manifeste e seja livre a ponto de ser autônomo (autonomia é fazer o que se deseja no âmbito do pacto de convivência), mas não a ponto de ser soberano (soberania é fazer o que se quer). É necessário que tenhamos uma esperança ativa de formar pessoas nessa direção da autonomia com duas vertentes, no meu entendimento: de um lado, a formação e de outro, a coerção. Vamos recorrer a **Durkheim** para alguns conceitos, como formação e coerção.

Quando uma pessoa me diz: "Eu não acredito que isso vá funcionar no Brasil", posso lembrar-lhe um fato. Em 1994 surgiu no país a primeira legislação que regulamentava a obrigatoriedade do uso de cinto de segurança, como uma forma de impedir a corrupção do corpo mortal, isto é, num acidente o indivíduo não ser vitimado. Pois bem, em primeiro lugar, nos primeiros anos, as pessoas só usavam o cinto por causa do constrangimento da multa pecuniária. Aliás, houve gente na época que até comprou camisa do Vasco da Gama ou da Ponte Preta para simular uma faixa de modo que o agente de trânsito não pudesse perceber a ausência do cinto. Hoje, quase ninguém se lembra da multa quando vai colocar o cinto. Em segundo lugar, durante todo esse tempo, as pessoas foram se conscientizando. Até as próprias crianças, por influência da escola, foram ensinadas a chamar a atenção dos pais quanto ao uso do cinto. E ainda, em terceiro lugar, a indústria criou carros que não dão partida no motor se o motorista não estiver com o cinto. Temos, então, um conjunto de medidas de proteção à corrupção do corpo mortal.

Outro fato que merece ser lembrado aqui. Há 30 anos, num espaço público, eu, que fui fumante, poderia acender um cigarro sem nenhuma dificuldade. Há 20 anos haveria uma placa: "Pede-se não fumar", como um apelo à minha consciência. Há 10 anos haveria uma placa dizendo: "Proibido fumar". Aí não era um apelo à minha consciência, era uma ordem. Hoje, quase não há placas nos lugares e as consciências estão formadas. Seria a minha consciência, se eu ainda fosse fumante, que me levaria a não acender um cigarro.

Outro dia, eu falava num programa de rádio de uma questão ética a partir do exemplo de uma casca de banana jogada no chão de uma esquina supermovimentada. Quando topamos com uma casca de banana numa esquina assim, três são as situações éticas envolvidas: quem jogou a casca na rua, jogou por quê?; quem passou pela casca e não a pegou e jogou na lixeira, não o fez por quê?; o terceiro que passou, pegou-a e jogou-a em local apropriado para evitar que outro ser humano se machucasse, agiu assim por quê? A resposta às três perguntas é: "Fez ou agiu assim porque quis". Agiu como agiu cada um deles porque quis, tanto o que jogou no chão a casca, porque ele poderia jogá-la ou não, quanto aquele que passou pela casca e a deixou ali para ameaçar outro ser humano de levar um escorregão, como também aquele que a recolheu e a colocou na lixeira.

O que está por trás de tudo isso é uma questão de escolha. E como orientamos as escolhas? A partir de exemplos das boas escolhas.

Por isso comecei este bate-papo lembrando do corredor espanhol. Sabe quem ficou bravo com ele? Foi o técnico. Foi ele que achou um absurdo o que o corredor fez. O técnico dizia: "Eu não treinei você para isso. Eu não treinei você para deixar o outro ganhar. Você tinha a obrigação da vitória". E o corredor contra-argumentou: "Eu acordei orgulhoso, sem ter vergonha da minha derrota". E continuou: "Eu não perdi, apenas não ganhei". E é isso que vale.

Clóvis – O que une gerações distintas numa mesma sociedade é o compartilhamento de modos particulares de atribuição de significado e valor a coisas, pessoas e relações. Critérios que nos permitem travar relações específicas, que definem os usos autorizados e interditos das coisas, os lugares permitidos e proibidos para cada um, as posições e hierarquias sociais, enfim, os modos particulares pelos quais existimos em sociedade, incluindo-se aí os valores morais.

A entrega desses critérios de geração a geração, também chamada de tradição, há tempos foi dever exclusivo das famílias e das comunidades nas quais estas se inseriam. O pai pescador ensinava ao filho a pescaria e, embutido nesse aprendizado profissional, os valores típicos da vida social do pescador. Ensinava a moral do pescador, sua posição e seu papel social. O mesmo faziam o cesteiro, o moleiro, o ferreiro e todos os demais profissionais, porque vida social e valores giravam em torno dos modos específicos de trabalho. Possuíam a certeza íntima de que seus valores e modos particulares de existência social se manteriam intactos ao longo do tempo, que o filho poderia viver futuramente da mesma forma que o pai, ganhando o sustento da mesma maneira e convivendo com os demais segundo os mesmos princípios e valores morais. Esse pai poderia, em suma, ser exemplar para seu filho.

Hoje, esse papel paterno e comunitário foi em grande medida substituído pelo sistema de educação. O papel exemplar do pescador de hoje é dificultado pela incerteza sobre como os modos de pescar serão executados quando chegar a vez de o filho assumir tal posição social. Continuamos uma sociedade de trabalhadores, assim como os critérios de atribuição de sentido e valor às coisas continuam sendo construídos através dos modos específicos de se fazer algo e das relações sociais consequentes. O que perdemos foi a ilusão de perenidade de nossos modos de existência – corrupção de modos de existência por princípio de existência social.

Mas, ao mesmo tempo, mantém-se o esforço para que os descendentes, se não herdam uma tradição na forma de saberes, ao menos herdem as posições sociais. Filho de rico, posições sociais e oportunidades sociais franqueadas aos ricos; aos pobres, seu lugar de quase insignificância garantido, com possibilidades de mobilidade social, mas a preços significativamente altos, com demanda de grande esforço para vencer barreiras sociais.

A educação assumiu esse papel de reprodução não de um saber moral fundamental a modos específicos de existência, mas de reprodução dos modos de dominação, das posições sociais – um instrumento de consagração condicionante à manutenção de um *status* social, mais voltado a uma moral consequencialista do que à sustentação de uma vida orientada por princípios morais de convivência. O papel moralizador e exemplar torna-se de difícil desempenho tanto para pais quanto para educadores.

Trata-se de uma corrupção como princípio das relações intergeracionais. O filho desdenha dos modos de vida de seus pais porque sabe que eles serão ultrapassados. No professor, depositam a esperança de que poderá ensinar o novo, a inovação, o futuro – tarefa impossível e também digna do desdém do aluno. O problema disciplinar torna-se uma consequência. Disciplinar é exigir, em suma, o respeito a regras de convivência, necessárias, por sua vez, à manutenção do *status quo* social. Mas para que o sacrifício de submeter-se a sacrifícios, contrariando desejos e impulsos tão enaltecidos hoje em dia, apenas para manter um modo de vida cujo perecimento ocorre a olhos vistos? Como manter a exemplaridade e valores morais ante o desencanto advindo das incertezas sobre os modos futuros de existência?

É vergonhoso não ser querido

Clóvis — As escolhas se dão dentro de quadros afetivos próprios e, portanto, não há que pensar numa instância deliberativa que seja um piloto dentro de uma nau. Quando escolhemos, é todo o nosso ser que delibera. Aquele que não joga qualquer coisa no chão, aquele que percorre alguns passos para levar algo até a lixeira se submete a um esforço a que não precisaria se tivesse se livrado do lixo ali mesmo. Então, o que leva alguém a um esforço maior ao invés de diminuí-lo? A resposta deve contar com uma equação de afetos.

Dado que viver é conviver – com o que estou totalmente de acordo, pois não há que falar em vida sem convivência –, é preciso entender que, numa sociedade educada, que condena o gesto de jogar lixo no chão, tal atitude vem acompanhada de uma tristeza. O indivíduo reflete: "Pertenço a uma sociedade em que esse comportamento é malvisto e, portanto, terei tristezas por causa desse meu modo de agir. Alguém vai me advertir, e estarei fomentando uma construção de identidade que me é negativa, serei censurado etc.". Mas o esforço de parar o que se está fazendo, levantar-se, mirar na lixeira, jogar o lixo e retornar também é entristecedor, é uma atividade que interrompe o fluxo da vida.

É por isso que estou convencido de que educar, ou seja, fazer valer o comportamento melhor para a sociedade, em detrimento de confortos egoístas, é, em grande medida, entristecer. Ou, se você preferir, direcionar a libido para um comportamento que convém à convivência. O problema é que estamos correndo o risco de perder o controle da educação ou de patrocinar o fim dela. Porque qualquer situação de entristecimento educativo hoje é entendida como retrógrada e inaceitável.

Cortella – Como ofensa.

Clóvis – Sim. Mas somos parte de uma sociedade que, de certa maneira, está nos ajudando a escolher uma conduta mais esforçada. Desconsiderando o lado estritamente individual de liberdade pessoal, é preciso entender que há contextos sociais que favorecem certos comportamentos positivos, ao passo que há outros que beneficiam comportamentos indesejáveis que não queremos para todos nós. Portanto, se vivemos numa sociedade em que colocar o lixo no lixo implica um pertencimento que nos é favorável, construímos uma identidade que nos autoriza a fazer parte de certos grupos.

Cortella – Identidade que é afetiva.

Clóvis – Que é afetiva, que é alegre! E vamos ser acolhidos por um grupo de pessoas que enxerga nesse comportamento uma condição óbvia para fazer parte da sua tribo. Então, teremos todas as condições identitárias necessárias para nos obrigar a um esforço de ir até a lixeira ao invés de nos livrarmos comodamente do lixo, porque, por jogarmos o lixo no chão, pagaremos um alto preço, que é a exclusão, o não pertencimento ao grupo do qual gostaríamos de fazer parte.

Cortella – É a ética como bem-querer e bem-querido.

Clóvis – Claro, é a ética inseparável de uma componente amorosa que me parece fundamental e que você, Cortella, citou. Penso mesmo que todo sistema filosófico é uma tentativa de laicização de ideias religiosas que lhe são anteriores. A filosofia clássica dos gregos como Platão e Aristóteles não é nada além da laicização do pensamento mitológico, e creio que o grande sistema ético kantiano nada mais é do que a tradução, em termos filosóficos, de propostas estritamente cristãs. Acredito que, se entendermos que ética implica uma preocupação com o outro que vai além do nosso mero bem-estar e prazer, ou é uma vitória sobre o próprio princípio de prazer em nome de uma convivência melhor, teremos entendido o que importa.

Em outras palavras, não somos bichos. Volto à ideia do gato e do pombo. Eles são regidos pela própria natureza e pelo instinto, eu diria que 100% condicionados pelo princípio de prazer. Mas nós podemos não ser assim, podemos considerar o outro... E considerar o outro é levar em conta sua alegria e sua tristeza como consequência da nossa conduta. Aí poderemos deixar de agir de uma maneira que nos é preferentemente prazerosa em nome do não entristecimento do outro. São coisas simples de serem entendidas. Enquanto não considerarmos a ética como a arte do conviver bem para além dos prazeres individuais, não teremos entendido muita coisa.

Cortella – Por isso, fazer o bem é bom e faz bem! E eu acho que não podemos deixar de trabalhar a ideia de *sem-vergonha*. Porque é vergonhoso não ser querido. E é vergonhoso não querer querer. O patife feliz não é impossível, mas é raro. Existe, na não patifaria, uma alegria que dá prazer. Desse ponto de vista, esse princípio do prazer é forte. E, para deixar ou acentuar aqui uma mensagem desestimuladora...

Nós não temos no Brasil mais corrupção do que tivemos; temos mais denúncia e recusa. Nós não temos mais sujeira; temos a descoberta do pó e da sujeira acumulada com o levantamento do tapete. Nós temos democracia, portanto imprensa livre, plataformas digitais que indicam os rastros deixados pela corrupção pública estatal e pública privada, e podemos constatar que temos uma recusa maior a ela.

É como a violência. Não vivemos numa era mais violenta. Ao contrário, vivemos numa era muito menos violenta do que a história humana teve anteriormente. O que temos hoje são mais notícias sobre a violência e maior rejeição a ela como algo do nosso dia a dia.

É preciso lembrar que a novidade não é a corrupção, mas a recusa a ela e a apuração dos fatos. Jamais se discutiria, há 30 anos, reforma partidária e distritalismo, a necessidade ou não de mecanismos de controle, a lei da ficha limpa. Tudo isso faria parte do óbvio. Agora, essa ética que ultrapassa, que transcende, nos leva a ter que pensar nisso. E só começamos a pensar quando algo nos causa incômodo. Antes muita coisa não nos incomodava; agora sim. Nossa sociedade avançou, ainda que às vezes as pessoas pareçam ter certa preguiça...

Clóvis – A título de exemplo, alguns motivos de otimismo: tivemos os anões do orçamento;* anos depois, o escândalo dos sanguessugas.** É o problema clássico de corrupção orçamentária, que o leitor pode estudar no livro de **Sérgio Praça**, *Corrupção e reforma orçamentária no Brasil (1987-2008).*** O que aconteceu no caso dos anões do orçamento e dos sanguessugas jamais aconteceria de novo. Hoje nós temos condições infinitamente superiores de rastrear, mapear como o dinheiro público é usado. É o entendimento médio das pessoas...

Cortella – Ou seja, temos mais razões para sermos decentes, seja por escolha, seja por constrangimento.

Clóvis – O mérito é amplamente decisivo na escolha das autoridades. Os cargos de confiança são, em grande medida,

---

* Em 1993, descobriu-se que um grupo de deputados federais havia montado um esquema de aprovação de emendas na Comissão de Orçamento do Congresso para desviar dinheiro público. Como os principais envolvidos tinham baixa estatura física, o escândalo ficou conhecido como "anões do orçamento". (N.E.)

** O escândalo dos sanguessugas veio a público em 2006, quando se soube que um grupo de parlamentares manipulava licitações para a compra de ambulâncias, em troca de propina. (N.E.)

*** São Paulo: Annablume, 2013. (N.E.)

definidos por questões de mérito e, portanto, temos hoje, do ponto de vista da corrupção, uma sociedade muito melhor do que jamais tivemos.* O fato de podermos falar disso e de termos, na porta de casa, as notícias que nos trazem os casos de corrupção é uma prova incontestável desse avanço.

Uma coisa é certa: os meios de comunicação apresentam o fenômeno da corrupção para a sociedade. E eles, invariavelmente, apresentam-no segundo os critérios deles.

Cortella – E isso é tipicamente jornalístico.

Clóvis – É evidente que esse viés jornalístico faz da corrupção uma espécie de problema restrito a espaços com holofotes, faz dela aquilo que os americanos chamam de *third person issue*, ou seja, um problema dos outros. De certa maneira, a midiatização da corrupção tira esse fenômeno do dia a dia do *monsieur tout-le-monde*, do cotidiano de cada um de nós. E isso é absolutamente negativo porque faz acreditar que o representante do povo é mais corrupto do que seu eleitor representado, o que é mentira. Existe uma enorme fidelidade nesse quesito. O representante é corrupto porque o seu eleitor o será se situação análoga sobrevier. "Professor, o senhor é honesto!" Bem, até agora, ninguém quis me "comprar". Eu não valho nada, não fui submetido à prova. E é exatamente

---

* Para mais, ver "A rotatividade dos servidores de confiança no governo federal brasileiro, 2010-2011", de Sérgio Praça, Andréa Freitas e Bruno Hoepers, na revista *Novos Estudos* n. 94, do Cebrap.

essa convicção de que a corrupção é um tipo de relação social absolutamente capilar e presente em qualquer tipo de lugar que os meios de comunicação ajudam a fazer esquecer ou a esconder, o que é muito ruim para tratar o problema.

Cortella – Você, Clóvis, falou em mérito. O termo *mérito* se origina de um verbo latino que é *merere*, da onde vêm "merenda" e "merecimento". Penso que o corrupto de qualquer natureza e em qualquer lugar não merece a convivência numa sociedade que desejamos sadia. Por isso, a corrupção não pode ficar de braços dados com a impunidade. E a questão da impunidade está na família, na escola, no conjunto social, na empresa. Nesse sentido, a recusa à impunidade é um passo decisivo.

Como você bem lembrou, Clóvis, no Brasil, alguns fatos da nossa política de Estado no campo do parlamento que moveram a corrupção não voltariam a acontecer do mesmo modo, no mesmo patamar, porque é outro tempo, outra lógica. Alguém poderá dizer: "Mas tudo sempre acaba em *pizza*!". Pelo contrário, em 2012, no estado de São Paulo, 43 prefeitos foram cassados. Em 2013 houve a cassação de mandatos de mais de 260 pessoas que assumiram o Executivo. Quando se propaga, de uma parte da imprensa, que tudo acaba em *pizza*, isso é uma maneira de incentivar essa percepção.

Clóvis – Essa frase, expressa e divulgada com tanta facilidade, não é verdadeira.

Cortella – Ela é colocada como se fosse óbvia! Mas ela não é verdadeira, sem dúvida. Por isso é preciso, na boa notícia, na boa-nova, na boa-vida, na *eudaimonia*, contar não só daquele indivíduo que se desviou para corromper ou para ser corrompido, mas daquele corredor espanhol que agiu eticamente, de maneira absolutamente inesperada, merecendo até reprimenda de seu técnico. Divulgar a atitude do Nelson Piquet, que, pontuado acima de 20 por causa de imprudências na direção, foi fazer o curso de requalificação de motorista em Brasília em vez de lançar mão do tricampeonato mundial de Fórmula 1 para obter alguma vantagem. Quem supõe que ele não sabe dirigir? É que o curso não é para quem não sabe dirigir, mas para quem não sabe obedecer a lei. E é isso que ele foi fazer lá.

Clóvis – Eu queria lembrar que a filosofia começa quando um indivíduo exige a própria punição. Sócrates, condenado à morte pelas falaciosas acusações de corromper a juventude e não reconhecer os deuses da cidade, teve todas as chances de se livrar da pena que lhe havia sido imputada, mas foi julgado pelas leis da cidade. E não admitiria jamais para si uma saída que não fosse o cumprimento dessas leis. Seria indigno demais, portanto ele se pronunciou: "Eu daqui não fujo de jeito nenhum, por mais que não concorde com a condenação. Isso é um mero detalhe, a cidade me condenou. Devo me submeter à punição que me cabe". A filosofia surge assim.

Cortella – Boa escolha.

Glossário

Aiatolá Khomeini (1900-1989): Líder espiritual e político da revolução iraniana que depôs o xá Reza Pahlavi, em 1979. Khomeini assumiu o poder após a queda do xá, proclamou a República Islâmica do Irã e governou até morrer, dez anos depois. Marcaram seu governo atitudes contrárias aos EUA – que apoiaram Saddam Hussein na guerra Irã-Iraque iniciada em 1980 –, culminando no rompimento das relações entre os dois países.

Aristóteles (384-322 a.C.): Filósofo grego, figura ao lado de Sócrates e Platão entre os expoentes que mais influenciaram o pensamento ocidental. Defendia a busca da realidade pela experiência e deixou um importante legado nas áreas de lógica, física, metafísica, da moral e da ética, além de poesia e retórica.

Aznar, José María (1953): Primeiro-ministro da Espanha pelo Partido Popular entre 1996 e 2004. Franco favorito nas eleições de 2004, atribui-se sua derrota nas urnas às explosões na estação de Atocha, em Madri, que mataram quase 200 pessoas, e que foram identificadas como retaliação da Al-Qaeda pelo envio, por Aznar, de tropas espanholas ao Iraque.

Bacon, Francis (1561-1626): Filósofo e ensaísta inglês, atuou ainda como político. Considerado por alguns como o fundador da ciência moderna, dedicou-se particularmente ao estudo da metodologia científica e do empirismo. Sua principal obra filosófica é o *Novum Organum*.

Beccaria [Cesare Bonesana] (1738-1794): Jurista e economista italiano, o marquês de Beccaria revolucionou o direito penal com sua obra *Dos delitos e das penas*, publicada anonimamente em 1764. Nela, condenava a tortura como meio de obter provas de crimes e propunha que a punição fosse proporcional ao dano provocado à sociedade pelo delito cometido.

Bin Laden, Osama (1957-2011): Milionário saudita, fundador e líder da Al-Qaeda, organização terrorista composta por fundamentalistas islâmicos que foi responsável por vários atentados nos Estados Unidos, nos países aliados e no Oriente Médio. Com o ataque às torres gêmeas em 11 de setembro de 2001, tornou-se o terrorista mais procurado do mundo. Foi morto em 2011 por um comando especializado da Marinha dos Estados Unidos, na cidade de Abbottabad, próximo a Islamabad, capital do Paquistão.

Blair, Tony (1953): Político britânico, foi primeiro-ministro do Reino Unido de 1997 a 2007. Em 2003, decidiu, juntamente com o então presidente norte-americano George W. Bush, atacar o Iraque – mesmo sem a aprovação da ONU – com o objetivo de desarmar aquele país e depor o governo de Saddam Hussein.

Bourdieu, Pierre (1930-2002): Sociólogo e filósofo francês, tornou-se, no final dos anos 1960, uma das maiores figuras da sociologia contemporânea. Fundador da revista *Actes de la recherche em Sciencies Sociales*, permanece até hoje um dos sociólogos mais debatidos dentro da comunidade acadêmica.

Bush, George W. (1946): Político norte-americano do Partido Republicano, foi presidente do país por dois mandatos consecutivos, de 2001 a 2009. Durante seu primeiro mandato, ocorreu o atentado terrorista de 11 de setembro de 2001 e, ao final do segundo, ele enfrentou uma crise econômica que seria considerada a mais grave das últimas décadas.

Collor de Mello, Fernando (1949): Primeiro presidente eleito do Brasil por voto direto após o regime militar. Renunciou ao cargo em 1992, depois de várias denúncias de corrupção, na tentativa de evitar seu *impeachment*. Mesmo assim, teve seus direitos políticos cassados por oito anos.

Dawkins, Richard (1941): Etólogo e biólogo britânico, ficou conhecido com a publicação do livro *O gene egoísta* (1976). Nele, defende a evolução das espécies na perspectiva do gene, e não do organismo; este seria apenas uma máquina de sobrevivência construída para permitir a replicação dos genes, num processo competitivo em busca da máquina mais eficaz. Ateu convicto, é um fervoroso crítico do criacionismo e do *design* inteligente.

Diógenes (c. 412-323 a.C.): Filósofo da Grécia Antiga, teria vivido em Atenas como um mendigo, fazendo de um barril sua casa, como forma de demonstrar indiferença pelos valores e pelas regras da sociedade. Foi o principal representante da escola cínica.

Dostoievski, Fiodor Mikhailovich (1821-1881): Escritor russo, é considerado um dos maiores romancistas da literatura mundial. Inovador, entre suas obras mais conhecidas estão *Notas do subterrâneo*, *O idiota*, *Crime e castigo* e *Os irmãos Karamazov*.

Durkheim, Émile (1858-1917): Sociólogo e filósofo francês. Suas principais obras são: *A divisão social do trabalho* (1893), *O suicídio* (1897) e *As formas elementares de vida religiosa* (1912).

Duverger, Maurice (1917): Cientista político e sociólogo francês, iniciou sua carreira acadêmica no Direito. Tem vários livros publicados, sendo que *Os partidos políticos* (1951) é o mais conhecido deles e referência nessa área de estudos.

Eco, Umberto (1932): Escritor e semiólogo italiano, professor na Universidade de Bolonha e autor de ensaios sobre as relações entre a criação artística e os meios de comunicação. Entre suas obras estão: *A obra aberta* (1962), *Apocalípticos e integrados* (1964) e *Kant e o ornitorrinco* (1997). Em 1980, tornou-se mundialmente famoso com seu romance de estreia, *O nome da rosa*. Após oito anos, publicou *O pêndulo de Foucault*, que também foi bem-recebido.

Escola de Frankfurt: Fundada em 1924, consistia em um grupo de filósofos e cientistas sociais que, na primeira metade do século passado, produzia um pensamento conhecido como Teoria Crítica. Destacam-se nomes como Theodor Adorno, Max Horkheimer, Herbert Marcuse e Walter Benjamim.

Espinosa, Baruch (1632-1677): Filósofo holandês considerado um dos pensadores da linha racionalista, da qual faziam parte Leibniz e Descartes. Viveu em época de grande crescimento econômico na Holanda. Suas ideias, porém, foram consideradas nocivas por teólogos a ponto de ele ser acusado de herege, expulso da sinagoga de Amsterdã e deserdado pela família.

Freud, Sigmund (1856-1939): Médico neurologista e psiquiatra austríaco, ficou conhecido como o "pai da psicanálise" por seu pioneirismo nos estudos sobre a mente e por apresentar ao mundo o inconsciente humano. Sua obra é objeto de questionamento, mas, inegavelmente, é ainda muito influente. Dentre seus seguidores destacam-se Alfred Adler e Carl Jung.

Hobbes, Thomas (1588-1679): Filósofo e teórico político de origem inglesa, suas obras mais conhecidas são *Leviatã* e *Do cidadão*, ambas publicadas em 1651. Defendia que a sociedade só pode viver em paz se todos pactuarem sua submissão a um poder absoluto e centralizado.

Além disso, entendia que a Igreja e o Estado formavam um só corpo. O poder central teria a obrigação de assegurar a paz interna e seria responsável pela defesa da nação. Tal soberano – fosse um monarca ou um colegiado – seria o *Leviatã*, de autoridade inquestionável.

Hussein, Saddam (1937-2006): Presidiu o Iraque entre 1979 e 2003, acumulando o cargo de primeiro-ministro em dois períodos: 1979-1991 e 1994-2003. Seu governo, notadamente ditatorial, foi marcado pelo uso de repressão e pela violação dos direitos humanos. Capturado após a intervenção militar no país por forças americanas e britânicas em 2003 e condenado ao enforcamento, foi executado a 30 de dezembro de 2006, em Bagdá.

Jobs, Steve (1955-2011): Empresário americano do setor da informática, conhecido por ser cofundador da Apple. Com uma política que valorizava a inovação e o *design* dos produtos, ele revolucionou a indústria de computadores pessoais, aparelhos de celular, *softwares*, entre outros.

Kadafi, Muammar (1942-2011): Em 1969, aos 27 anos, assumiu o poder na Líbia após golpe de estado que depôs o rei Idris I. Polêmico, líder líbio autointitulado "líder revolucionário" não admitia sarcasmo contra si. Foi um dos grandes patrocinadores de ações terroristas no Oriente Médio e na Europa. Após mais de quatro décadas de ditadura sangrenta, foi morto pelas forças rebeldes em 20 de outubro de 2011, em sua cidade natal, Sirte.

Kant, Immanuel (1724-1804): Filósofo alemão, suas pesquisas conduziram-no à interrogação sobre os limites da sensibilidade e da razão. A filosofia kantiana tenta responder às questões: Que podemos conhecer? Que podemos fazer? Que podemos esperar? Entre suas obras, destacam-se *Crítica da razão pura*, *Crítica da razão prática* e *Fundamentação da metafísica dos costumes*.

Maquiavel, Nicolau (1469-1527): Autor de *O príncipe*, estabelece uma separação entre política e ética, defendendo que os fins justificam os meios. Emprega com frequência, em suas obras, os conceitos de *virtù* e *fortuna*.

Mauss, Marcel (1872-1850): Sociólogo e antropólogo francês, sobrinho de Émile Durkheim. É considerado o "pai" da etnologia francesa. Para o autor, o elementar das sociedades são o intercâmbio ("tribos" intercambiam tudo que lhes é importante: festas, comidas, riquezas, mulheres, crianças etc.) e a dádiva (opera uma mistura entre amizade e conflito, interesse e desinteresse, obrigação e liberdade).

Morin, Edgar [pseudônimo de Edgar Nahoum] (1921): Antropólogo, sociólogo e filósofo francês judeu de origem sefardita, considerado um dos principais pensadores contemporâneos e teóricos da complexidade, é autor de mais de 30 livros. Sua principal obra, *O método*, constituída por seis volumes, foi escrita durante três décadas e meia.

Papa Francisco (1936): Sucedendo Bento XVI, que abdicou ao papado em fevereiro de 2013, o jesuíta intelectual, cardeal argentino Jorge Mario Bergoglio, é o primeiro papa da América Latina. Adotou o nome de Francisco, por identificar-se profundamente com a figura de são Francisco de Assis, declarando diversas vezes querer "uma Igreja pobre para os pobres".

Parmênides (c. 540 a.C.-?): Filósofo grego, escreveu uma única obra – *Sobre a natureza* –, em forma de poemas e dividida em duas partes, indicando dois caminhos possíveis: o da verdade, imutável e perfeito, e o do costume, que traduz a experiência confusa dos sentidos.

Pascal, Blaise (1623-1662): Filósofo, escritor, matemático e físico francês do século XVII, foi o primeiro grande prosador da literatura francesa. A filosofia apologética criada por Pascal postula que há mais ganho pela suposição da existência de Deus do que pelo ateísmo, e que uma pessoa racional, mesmo que por prudência, deveria pautar sua existência como se Deus existisse.

Platão (427-347 a.c.): Um dos principais filósofos gregos da Antiguidade, discípulo de Sócrates, influenciou profundamente a filosofia ocidental. Afirmava que as ideias são o próprio objeto do conhecimento intelectual e que o papel da filosofia seria libertar o homem do mundo das aparências para o mundo das essências. Escreveu 38 obras; em virtude do gênero literário predominante, elas ficaram conhecidas pelo nome coletivo de *Diálogos de Platão*.

Praça, Sérgio: Mestre e doutor em Ciência Política pela Universidade de São Paulo, é pesquisador do Centro de Política e Economia do Setor Público (Cepesp) da FGV-SP e professor de Políticas Públicas da Universidade Federal do ABC. Entre os temas que pesquisa, estão: corrupção; processo orçamentário; organizações partidárias; e administração pública.

Quintana, Mário (1906-1994): Poeta gaúcho, trabalhou em vários jornais. Traduziu Proust, Conrad e Balzac, entre outros nomes de grande importância na literatura mundial. Começou publicando poemas em jornais e periódicos. Mais tarde lançou *A rua dos cataventos*, seu primeiro livro de poesias. Em seguida vieram *Canções* (1946), *Sapato florido* (1948), *O aprendiz de feiticeiro* (1950), *Espelho mágico* (1951) e muitos outros, além de várias antologias.

Rawls, John (1921-2002): Filósofo político americano, mais conhecido por sua teoria da justiça como equidade. Para definir os princípios de justiça de uma sociedade, os indivíduos deveriam estar submetidos a um "véu da ignorância", isto é, que lhes ocultaria o conhecimento de sua classe social, seus talentos naturais e suas capacidades. Entre suas principais obras estão *Uma teoria da justiça* (1971), *Liberalismo político* (1993) e *O direito dos povos* (1999).

Ribeiro, Renato Janine (1949): Filósofo e escritor, é professor da Universidade de São Paulo. Tem vários livros e artigos publicados, em especial nas áreas de ética, filosofia e política. Também concebeu e apresentou uma série de 12 programas sobre ética exibida em alguns canais de TV.

Rousseau, Jean-Jacques (1712-1778): Filósofo suíço e enciclopedista, é um dos grandes nomes do Iluminismo francês, conhecido por defender que todos os homens nascem livres. Entre suas obras mais famosas estão *A nova Heloísa*, romance epistolar, o ensaio *O contrato social* e o tratado *Emílio, ou da educação*. Em 1776, ao final da vida, publica *Os devaneios de um caminhante solitário*.

Sartre, Jean-Paul (1905-1980): Filósofo e escritor francês, foi um dos principais representantes do existencialismo. Romancista, dramaturgo e crítico literário, Sartre conquistou o prêmio Nobel em 1964, mas o recusou. *Crítica da razão dialética* sintetiza a filosofia política do autor. *O ser e o nada*, *A imaginação* e *O muro* são algumas de suas outras obras mundialmente conhecidas.

Severino, Antônio Joaquim (1941): Professor titular aposentado de Filosofia da Educação da Universidade de São Paulo e docente da pós-graduação em Educação da Universidade Nove de Julho, tem numerosos livros publicados, sendo o mais famoso deles *Metodologia do trabalho científico*, publicado pela primeira vez em 1975.

Sócrates (470-399 a.C.): Filósofo grego, não deixou obra escrita. Seus ensinamentos são conhecidos por fontes indiretas. Praticava filosofia pelo método dialético, propondo questões acerca de vários assuntos.

Tomás de Aquino, santo (1225-1274): Filósofo e teólogo italiano medieval, seu maior mérito foi a síntese do cristianismo com a visão aristotélica do mundo, introduzindo o aristotelismo. Sustentava que nada está na inteligência que não tenha estado antes nos sentidos. Sua obra máxima foi *Suma teológica*.

Vásquez, Adolfo Sánchez (1915): Filósofo, professor da Universidade Autônoma do México, autor de *Ética*, *Filosofia da práxis* e *Entre a realidade e a utopia*.

Warren, Mark E.: Professor do Departamento de Ciência Política da Universidade de British Columbia, sua pesquisa trata de novas formas de participação e representação democrática e da corrupção nas relações democráticas, entre outros temas, tendo vários livros e artigos publicados.

Weber, Max (1864-1920): Sociólogo alemão, defendia a busca da neutralidade científica na vida acadêmica. Realizou amplos estudos de história comparativa e foi um dos autores mais influentes no estudo do capitalismo e da burocracia. Entre outras obras, é autor de *A ética protestante e o espírito do capitalismo* (1905) e *Economia e sociedade*, publicada postumamente, em 1922.

Especificações técnicas

Fonte: Adobe Garamond Pro 12,5 p
Entrelinha: 18,3 p
Papel (miolo): Off-white 80 g
Papel (capa): Cartão 250 g
Impressão e acabamento: Paym